Diego De Silva
La donna di scorta

Einaudi

Prima edizione «Einaudi Tascabili»

www.einaudi.it

ISBN 978-88-06-22120-1

La donna di scorta

a Floriana

È curioso il modo che ha il destino di venire sotto forma di tempo. Anzi lo sarebbe, se non fosse che ce l'ha per vizio. Se uno, al momento del fatto che gli cambia la vita, buttasse l'occhio all'orologio, vedrebbe le lancette che ripartono da uno zero fatto apposta per lui. Una risposta, una notizia, un incontro, un certo particolare squillo del telefono, arrivano con l'anteprima. Si fanno vedere e scappano in avanti, mostrando la sequenza fin dove l'occhio la segue. Tutto il futuro non lo conosciamo. Quello piú in là soprattutto. Ma il primo sí. Lo vediamo benissimo.

Livio e Dorina si erano incontrati per strada. Una strada centrale secondaria, di quelle che la città tiene in bassa considerazione. Di quelle che, anche se ci abiti vicino da vent'anni, hai sempre fatto per andare da un'altra parte. Coi negozi che vorrebbero, dove pure le cose di marca sanno di imitazione. Le assicurazioni che si chiamano col cognome del titolare dell'agenzia. Dove si cammina con una fretta non proprio necessaria, quella fissità impaziente in cui se incontri qualcuno che conosci ci metti un poco a ricordartelo, e lo sforzo di memoria ti disturba.

A maggior ragione, se alla fine di questa storia si andasse a chiedere a qualcuno che quella mattina si trovava a passare di là, se avrebbe mai sospettato che quei due estranei, solamente guardandosi, si sarebbero immediatamente riconosciuti in un futuro comune, ci si sentirebbe rispondere il piú posato dei no.

E dire che le loro vite, a passarci davanti, potevano andare. Fatte di lavoro, di mutui, case, mobili, libri, quadri, vestiti e tutte le cose che messe insieme diventano le persone. Due sistemi composti in maniera simile e per le stesse ragioni (in fondo che può esserci di cosí interessante in un altro, se anche lui fa o cerca un lavoro con cui comprarsi dei vestiti e pagarsi il mutuo per una casa, per poi metterci dei mobili, dei quadri, dei libri?) che da un giorno all'altro, su un marciapiede intasato di gente, avrebbero tradito e rovinato qualsiasi cosa avesse soltanto provato a trattenerli dal darsi a quell'estraneo per cui non sentivano che il desiderio di intromettersi nel suo sistema esistenziale del tutto simile al proprio, e quindi conoscere il suo letto, la sua casa, i suoi mobili, i suoi libri, i suoi quadri, i suoi vestiti. Qualunque prezzo sarebbe stato all'altezza di quel valore, qualsiasi rinuncia pur di averlo e sapere chi era, da dove veniva e come andava a finire. E tutto il resto vada pure al piú totale sfascio, che sarà mai se mi rovino e mi trascino appresso quel poco che di buono ho fatto, questa eventualità adesso mi è innocua, la vedo ma non mi ferma, e poi mica me la sono cercata, no, ho rinunciato anche troppo adesso basta, chi ci deve capitare ci capiti, purché si cominci subito.

Succede continuamente. Ogni giorno, in ogni parte del mondo qualche milione di persone dice al milione che ha appena incontrato: «Non so perché sto raccontando tutte queste cose proprio a te, che ti conosco appena». E invece sa benissimo quello che fa.

Viviamo nell'attesa permanente di un estraneo a cui consegnarci mani e piedi. A cui saremmo capaci di sacrificare gli affetti piú cari, se necessario. Anche quando siamo in malafede. Anche se sappiamo benissimo che al momento opportuno ci tireremo indietro attaccandoci alla piú ignobile delle scuse. Conta, però, il momento in cui siamo disposti a tutto. E tutto significa, papale papale, *tutto*.

Era di mattina tardi, aveva cominciato a piovere da poco. Lui avrebbe voluto togliersi la cravatta, infilarsi i pantaloni da casa e aspettare in poltrona l'ora di pranzo. Ma tornando dalla galleria si era imbattuto un'altra volta nelle *Oscillazioni del gusto* di Dorfles lasciato in bella mostra sul mobile dell'ingresso e aveva deciso di non rimandare piú. Erano settimane che lo teneva lí per costringersi a portarlo dal rilegatore, e poi fingeva puntualmente di non vederlo quando usciva. L'unico che non avesse venduto prima di abbandonare («'Ntotto», aveva detto il professore voltando la testa di lato per non guardarlo in faccia mentre immergeva la stilografica nel libretto). Ogni tanto lo apriva per risentire l'odore della sua stanza quando cominciava a studiare alle quattro del pomeriggio davanti alla finestra, col blocco degli appunti sotto la lampada della scrivania e il programma scadenzato per numero di pagine al giorno, che poi rifaceva ogni giorno daccapo.

Prese il libro, l'ombrello, e uscí. Chiuse la porta e tirò fuori le chiavi. Fece per infilarle nella serratura, restò immobile un momento e se le cacciò di nuovo in tasca.

Tanto torno subito.

Quando lei era uscita di casa, un'ora prima, non c'era motivo di dubitare del tempo. Adesso era per strada, e rimpiangeva il suo ombrello. Non che ne cadesse chissà quanta, e infatti lei camminava, un balcone dopo l'altro. Portava un maglioncino a pelle, di lana morbida, che spuntava dalla giacca a vento con la lampo tirata su a metà (veniva voglia di infilarci il naso per indovinare l'odore), pantaloni di velluto e vecchi mocassini allacciati. Niente trucco. Quando aveva cominciato a piovere si era raccolta i capelli con l'elastico dell'ultimo capitolo della tesi che doveva consegnare entro la fine della settimana. Forse per il cielo che si guastava, la sua persona non le andava per niente a genio. Sentiva una particolare irritazione nel muoversi normalmente, come se il corpo cercasse di dirle che non voleva essere portato in giro.

Lui saliva con l'ombrello puntato in avanti per la pioggia controvento. Vedendo il tanto che bastava a schivare la gente che veniva nell'altro senso, marciava verso la legatoria con l'unica ragione di tornare a casa per non ritrovarci il libro.

Rallentò dietro una vecchia che andava pianissimo apposta (uno dei modi in cui molti di loro se la prendono con i giovani: io non sono tenuto ad adeguarmi né a te né a questo mondo scostumato dove non conto più niente, io non ce l'ho la tua fretta non la voglio subire, è inutile che strombazzi che scalpiti che dài a vedere di sopportarmi, io sto qui e mi prendo tutto il tempo che voglio) e sollevò l'ombrello e lo sguardo. Dorina gli veniva incontro, aggrappata con tutt'e due le mani alla tracolla della borsa e i passi incollati uno all'altro per il timore di incappare in una mattonella ballerina. Guardava avanti e poi a terra, e allora faceva quasi per ritrarsi, come per paura di una trappola. Quel modo precario di andare, come di chi non si rassegna all'incomprensibilità delle cose e perciò si aspetta sempre l'imprevisto, emanava una tenerezza che agli occhi di Livio si caricava di un ridicolo che aveva incontrato quelle due o tre volte in cui la felicità gli era uscita dalle orecchie (l'ultima, forse, quando Martina aveva cominciato a camminare, come un compasso, lungo il corridoio). Poi si fece più vicina, e il suo giudizio cambiò drasticamente. Una faccia così doveva essere passata per un dolore importante. Era rassegnata. Era spigolosa e dolce. Aveva rughe recenti.

Livio non aveva più nessuna autorità sui propri occhi. Nessuna memoria di nessuna modalità di occultamento dei suoi desideri. La guardava.

È naturale, fra più cose in movimento, percepirne una che sta ferma e osserva. Se poi *ti* osserva, te ne accorgi prima. Dorina si sentí come trattenuta, e senza sapere quello che faceva si mise a cercare fra gli estranei.

Allora lo riconobbe. L'impressione fu che la vita le volesse restituire qualcosa.

Potevano tirare dritto. Tornare a casa e fare tutto un po' piú lentamente, dicendosi niente, non è niente, passa subito, fingendo di conservare la speranza che si sarebbero incontrati ancora, e cosí lasciare che il tempo facesse sfumare le loro facce per ognuno dei giorni successivi in cui, con mille scuse, avrebbero fatto in modo da non tornare in quella strada, e quando finalmente sarebbe stato troppo tardi avrebbero potuto dire che cretino, che cretina.

Dorina già si vedeva per le scale di casa, aggrappata al corrimano, a guardare uno a uno i gradini preparandosi alla miseria di quei giorni. Allora capí che non aveva qualcosa di meglio da difendere. Che poteva andare. Che se si fosse guardata indietro prima di partire non avrebbe voluto portare niente con sé.

Gli andò dritta incontro, con le narici dilatate dalla convinzione.

– Posso fare un tratto con te?

Lui le guardò le parole, poi rispose con la domanda peggiore che poteva farle.

– Ma non stavi scendendo?

– Sí.

E si avviarono insieme, in salita. Lui le offrí la metà di ombrello che le doveva, tenendo un'apertura del braccio pateticamente ambigua. Lei s'affaccendava le mani con la zip della giacca a vento. Pioveva meno.

«Ma guarda tu, sto tornando indietro», pensò lei riconoscendo le mattonelle che si era appena indaffarata a non prendere. Poi, come un lampo: «Il caso non è casuale. Fa quello che non gli viene impedito».

– Dorina, – disse.

– Come? – fece lui, e quando si girò andò a finire con gli occhi su uno spicchio del suo collo. Portava una collanina d'oro sottilissima con un pendaglio piccolo piccolo a forma di goccia. Pensò alla trafila della pastina da brodo. In una maglia s'erano impigliati dei capelli. Rossi. Se ne accorse soltanto allora.

– Dorina, – ripeté lei.

Allora lui si fermò. Stava per cacciare l'altra mano fuori dalla tasca, ma si represse in tempo.

– Livio. Livio.

Da come lo disse, sembrò *Lvlv-o*. Merda, pensò.

Arrivarono alla fine del marciapiede. Il semaforo dava giallo a intermittenza. Livio la coinvolse in una fretta nevrotica di fare prima del rosso. La prese per mano, un po' apposta un po' no. Lei si lasciò portare, e seguí con gli occhi i suoi passi fino all'altro marciapiede. Aveva delle scarpe vecchie, tipo clark, verde militare, scolorite. Le erano sempre piaciute le polacchine.

Sotto l'altro semaforo, per un impulso improvviso di autocontraddizione, Dorina rallentò bruscamente. Era stata troppo chiara. Voleva fare un passo indietro. Dare alle cose l'incognita che ne fa valere la pena. Livio si diede la colpa di averla presa per mano.

– Ci stiamo salutando?

Lei lo guardò senza rispondere, come a dirgli che valutava ugualmente il sí e il no.

– Senti, – disse lui. E fece una pausa, accompagnandosi con un sospiro a bocca chiusa. – C'è un caffè, qua vicino.

Altra pausa.

– Se hai voglia di fermarti.

2

Il bar si chiamava Lorenzi. Dorina non c'era mai stata. Si trovava nel cortile di un vecchio palazzo, uno di quei posti che conosci solo se qualcuno ti ci porta. La luce era poca, bassa e soprattutto marroncina («Guarda un po'», pensò lei). Il pavimento era fatto di sampietrini a ventaglio, in continuazione del cortile. Pochi tavoli, rotondi e da quattro, ma già in tre ci si stava stretti. Il banco, di mattoni e col piano di noce scuro, lo stesso dei tavoli, dominava il locale nel centro. Il caffè veniva macinato continuamente. Ce n'era una cesta in esposizione, su uno sgabello davanti al banco, effetto panettone sotto l'albero. Sulle due pareti laterali, una di fronte all'altra, due credenze gemelle, vecchie piú che antiche, probabilmente recuperate dalla stanza da pranzo di qualche nonna. Sul banco le tazzine, il cestino dello zucchero e qualche dolce avanzato dalla mattina.

Scelse Dorina il tavolo.

Contrariamente a quello che sembrava, Lorenzi non era un cognome ma una sigla. Tre soci. Quando lui glielo disse, Dorina sorrise nel trovare interessante quell'informazione, solo perché venuta dalla sua bocca.

– Hai delle belle mani, – gli disse a bruciapelo osservandolo asciugare la copertina del libro.

– Una volta erano meglio, – rispose lui fingendo di non capire. – Fino a qualche anno fa restauravo mobili.

– E adesso? – continuò lei sistemando i gomiti sul tavolino, in piena improvvisazione di disinvoltura.

– Li vendo. Ho una galleria. Ma piú che altro vado in giro a procurarmeli.

– Quindi qualcuno resta in galleria, – disse Dorina.

– Eh già, – rispose Livio chiaramente a disagio.

«Ma come mi è venuto», si sgridò lei.

– Tu invece che fai? – domandò Livio per rifarsi.

– Ho un'agenzia di traduzioni e ricerche bibliografiche.

– Ah, – fece Livio.

– Faccio tesi di laurea, – tagliò corto Dorina ridacchiando.

Arrivò un ragazzo alto coi capelli pieni di gel e pantaloni aderenti in finta pelle a prendere l'ordine. Dorina chiese un succo d'ananas. Avrebbe voluto un caffè. Livio scelse qualcosa che aveva un nome di persona.

C'era un buon odore di legno e di cose calde da bere. Ogni tanto qualcuno si alzava per uscire e allora si sentiva suonare il campanello della cassa. Pantaloni attillati portò l'ananas in un pretenzioso calice con cannuccia Hawaii, un cocktail rossastro con un velo di schiuma in superficie e una coppetta di olive.

– Sei cosí anche tu? – chiese Dorina volteggiando lo sguardo intorno alla testa di Livio mentre lui agitava il bicchiere per staccare la fetta d'arancia dalle pareti.

Livio andò in pausa, come l'avessero immortalato col fermo-immagine. Mosse solo gli occhi, e la fissò profondamente.

– Come sarebbe?

– Non sei tu che hai arredato il bar?

Livio si sentí nelle sue mani.

– Sí, io, – disse con imbarazzo. Di norma ne sarebbe stato misuratamente orgoglioso.

– E ci somigli? – continuò lei riducendo a tre parole e un punto interrogativo gli anni di lavoro su cui Livio aveva costruito parecchie delle sue certezze.

– Non proprio, – rispose lui un po' risentito, ma provando insieme della riconoscenza per lei nello scoprirsi capace di ammettere che in fondo il suo lavoro non era niente piú di quello che lei gli aveva chiesto. – Alcune cose le avrei fatte diverse.

Restarono a parlare per un po'. Livio si muoveva come piaceva a lei, scivolando fra le cose. I suoi vestiti sembravano messi tante volte, come le scarpe, però puliti, familiari. Il gilè, la camicia, e piú sotto ancora. Dorina si avvicinava a lui fin dove poteva fingere. E senza farsene accorgere inspirava finché le si sollevavano le spalle.

Il bicchiere di Livio era vuoto. Lui però non se ne ricordava, e lo portava continuamente alla bocca. Dorina aveva lasciato due dita di bibita (per finirla avrebbe dovuto piegare tutta la testa all'indietro). Quando Livio chiamò il cameriere chiedendogliene un altro (*Roberta*, adesso già sembrava una cosa da bere), Dorina si accorse che il momento successivo non avrebbe avuto niente da dirgli, e prima che lui la invitasse a ordinare ancora, si alzò in piedi e raccolse il giubbotto dallo schienale della sua sedia.

Livio rimase seduto. Pensò: «Che ho fatto». Un attimo dopo, il tempo che lei raccogliesse le sue cose: «Ma sí, meglio». Alla fine le prese il braccio. Le parole gli caddero di bocca e si ammucchiarono una sull'altra.

– Il caffè è buono, qui. Ci vengo tutti i giorni.

Lei si abbassò e gli posò le labbra su un sopracciglio.

Livio rimase al tavolo ancora un po'. L'occhio baciato pizzicava. Quando si alzò per andarsene, gli dissero che il conto era stato pagato.

3.

Dorina si ritrovò in cucina con la borsa fra le mani e il giubbotto ancora addosso, senza memoria della strada fatta per tornare a casa. Alzò la persiana e guardò nell'ufficio dell'Inps. Le scrivanie erano vuote, e le luci spente. Posò la borsa sul tavolo e rimase appoggiata all'infisso del balcone per un po'. Tirò fuori dal frigo i pomodori da insalata, li mise sotto l'acqua e andò in camera. Passò in bagno e lasciò la porta aperta per non dimenticarsi della fontana che continuava a scorrere di là. Tornò indietro. Sentiva ancora un po' d'ananas in bocca. Sgomberò la tavola («Ah brava, avevo lasciato qui la borsa») e apparecchiò. Fece tutto minuziosamente, manco avesse avuto il pomeriggio libero. Dal frigo prese uno dei bocconcini avanzati dalla sera prima e lo tagliò in quattro. L'acqua scorreva ancora. Asciugò i pomodori, ne scelse uno e fece a pezzetti anche quello. Lo unì alla mozzarella e versò tutto nell'insalatiera, chiuse il rubinetto, aggiunse due cucchiai di riso bollito (anche quello del giorno prima), poco olio e il sale. Dopo qualche cucchiaiata aggiunse la maionese, e quando lo ebbe rovinato, le piacque.

A tavola Livio andò di corsa. Non beveva e non usava il tovagliolo. Laura non faceva in tempo a dargli il piatto che lui aveva già iniziato.

– Devi uscire, papà? – chiese Martina un po' interdetta.

Laura si stava allungando verso il cassetto delle posate, tenendosi il tovagliolo sulle ginocchia con l'altra mano. Storta com'era, si voltò verso Livio. Lui interruppe il boccone, e le guardò tutt'e due.

– Mmno. Cioè, non mi pare.

Martina scese dalla sedia, andò da lui, gli svolse il tovagliolo e glielo infilò nel colletto mentre Livio seguiva tutta l'operazione perplesso. Poi tornò al suo posto come fosse stata costretta a occuparsi dell'imprevisto. Livio la osservò mentre si sistemava la forchetta nella mano usando anche l'altra («Fai conto di scrivere in bella copia», le aveva spiegato Laura una volta). Lei non lo guardava neanche. Pensava alla sua cotoletta, fatta già a spicchi nel piatto. Laura prese il cucchiaio che mancava e lo infilò nella scodella del purè. Livio si passò il tovagliolo sulla bocca.

Poi si misero a ridere.

Il pomeriggio, alle quattro e mezza, Dorina andò a lavorare come fosse stato un giorno qualunque. Ormai aveva smesso completamente di piovere, e l'aria era carica di luce. I palazzi avevano facce cordiali e disponibili. Perfino l'asfalto mandava un calore familiare.

Dorina camminando sentí prendere da una fortunata intelligenza. Quando si ha la testa altrove, si diventa attentissimi al circostante. Tutto le sembrava giusto cosí com'era. Tutto era connessione e successione. L'imprevedibilità degli eventi, le occasioni mancate, le fortune capitate agli altri, la semplice possibilità che ricominciasse a piovere o che tornasse addirittura il sole, pareva che si spiegassero nella loro immanenza. E quanto le sembrava limitato e mediocre il bisogno di dare una ragione alle cose.

Livio uscí di casa lasciando Laura e Martina che facevano i compiti sul divano. Stava pensando a tutt'altro quando gli venne in mente. La rivide davanti alla porta del geometra Belfiore, tale e quale alla mattina da Lorenzi. Fissò due o tre cose nuove che gli sembrarono subito importanti. I capelli in controluce, certi piccoli brividi nelle mani, il succo d'ananas. E poi quel modo di muoversi con le spalle come a voler misurare continuamente lo spazio che aveva intorno, lo sguardo che nel momento in cui aveva giurato che stesse per incantarsi s'era voltato pronto verso di lui a dire bada che non ero distratta. Alcune sue parole gli tornarono in mente come un comando a ripetere, parole qualsiasi, senza nessun rapporto tra loro, che spiccavano su tutte le altre che pure ricordava, preferite a caso dalla memoria (qualcosa capitato nelle vicinanze nello stesso momento, forse, una sedia spostata, un odore, il colore di un vestito di qualcuno che entrava o usciva): «L'altr'anno», «Io aspetto», «Somigli» (e qui c'era stata come un'acciaccatura sull'ultima sillaba – come avesse detto «Somíi» – e allora lui aveva pensato a un difetto, un'abitudine a pronunciare certe parole in quel modo, dovuta forse all'accento di qualcuno in famiglia; se l'era immaginata bambina o poco piú, lontanissima dal diventare la donna assoluta che era adesso, circondata dalle attenzioni di genitori giovani e premurosi, quando la preparavano per le feste di compleanno del sabato pomeriggio e volevano che fosse piú bella del solito, e i genitori del padrone di casa, che compiva undici anni ed era il quattro di ottobre, fermi sulla porta del soggiorno sgomberato per la festa, con il tavolo contro il muro apparecchiato di panini e dolcetti e coca-cola, si sarebbero accorti proprio di lei in mezzo a tutti gli altri bambini, e guardandosi in faccia nello stesso momento avrebbero detto hai visto com'è bella, sai che diventa da grande).

Vedeva ancora quelle immagini quando si ricordò che due rampe di scale piú sopra c'era casa sua, con Laura e Martina che passavano una giornata normale e non sapevano di lui, fermo al pianerottolo di Belfiore e Fenucci (fosse uscito qualcuno all'improvviso e l'avesse trovato lí a guardare l'aria ci avrebbe fatto proprio la figura del deficiente), anzi lo credevano già sulla strada del negozio, a quell'ora doveva essere arrivato a piazza Vittoria perlomeno, allora reagí diede co-

me uno strattone e fece le scale di fretta. Uscí in strada che Dorina lo inseguiva ancora. S'infilò in macchina e la chiuse fuori. Partí immediatamente.

Ma che mi scappo, si disse al semaforo.

Dorina era quasi arrivata al lavoro. L'agenzia, che
mandava avanti da sola, era ricavata da un garage. In
quei giorni lavorava a una tesi su Walpole.

Di fianco a lei Mario Santonicola («Lavanderia del
Borgo») aveva aperto come sempre molto presto, ed
erano già venti minuti che andava e veniva dal banco
alla porta. Quando suonava il telefono (l'attacco era
nel retro, fra le macchine) se lo portava dietro tutto
quanto fin dove poteva tirare il filo e rispondeva dopo
aver trovato una posizione da cui riusciva a vedere almeno un poco la soglia del negozio e quindi Dorina che
arrivava.

Dorina si accorse di lui che stava per uscire a salutarla mentre era china a sollevare la serranda. Quello
non fece in tempo a dire buonasera o ad offrirsi di aiu-
tarla, che Dorina si voltò verso di lui con un sorriso che
le tirò in su la faccia intera nello stesso momento in cui,
con il braccio allenatissimo, lanciava la serranda verso
l'alto.

– Ciao, Mario! – Col punto esclamativo, proprio.

Mario fischiettò tutto il pomeriggio.

4.

La mattinata del giorno dopo (un sabato) era passata serena. In galleria, Laura contava le pagine della tesi e sorrideva soddisfatta, col futuro sotto controllo. Fino all'ora di chiusura nessuno era entrato, e il telefono era stato sempre zitto. Aveva risolto un paragrafo che l'aveva tenuta impegnata tutta la settimana, e ora finalmente cominciava a vedere la bibliografia, l'indice, e il suo nome impresso sulla copertina. Si sarebbe laureata presto. Forse proprio in primavera, che bellezza.

Dorina era al computer, la porta dell'ufficio aperta. Lavorava volentieri.

Non è che ci pensasse in continuazione. Ogni tanto le tornava in mente, e se lo nascondeva tirando la pancia in dentro.

Livio era andato fuori città a trattare con un vecchio rigattiere un pendolo degli anni trenta col movimento a quindici giorni (si chiamava cosí perché tanto durava la carica). Non era stato facile convincerlo a vendere (diceva che aveva rifiutato quattro offerte prima), e anzi Livio non era del tutto sicuro che sarebbe tornato a casa con l'orologio. Però a quattr'occhi era sempre stato bravo a chiudere, cosí aveva pensato di andarci.

Il vecchio fece un po' di storie, poi quando lesse la cifra sull'assegno disse che era contento di venderlo a una persona competente.

Anche se aveva tutto il tempo, Livio fece una corsa per tornare in città. Era bello avere dentro quell'attesa.

Parcheggiò abbastanza lontano da Lorenzi, poi si avviò. Non si sentiva in colpa.

Dorina rimase a lavorare fino all'ora di chiusura dei
bar. Poi, quando sarebbe potuta andare, si mise a fare
una serie di telefonate una piú inutile dell'altra.

Dopo cena, Livio mise a letto Martina e andò nello
studio a mostrare l'orologio a Laura. Lei non partecipò
granché, ormai la prossima conclusione della tesi l'aveva completamente assorbita.

Livio andò in cucina e cercò nel frigorifero. Voleva
del succo d'ananas.

La domenica Lorenzi era chiuso.

5.

Il lunedí, poco dopo mezzogiorno, Dorina chiamò la ragazza della tesi sul *Castello di Otranto*.

– Ce l'hai fatta? – era esplosa quella al telefono, e le aveva detto che sarebbe passata subito a ritirarla.

– Veramente è pronta dall'altra sera. Non avevi appuntamento con il relatore alle dieci stamattina?

– Ah sí... veram... no, no, me l'ha spostato a domani, ti avrei chiamata fra poco.

Dorina lasciò passare qualche lungo secondo.

– Puoi venire dopo le cinque.

– No dài, vengo subito col motorino, il tempo di arrivare, massimo venti minuti.

– Dopo le cinque, – inchiodò Dorina. – Sto uscendo.

Attaccò senza darle il tempo di insistere. S'infilò il giubbotto, mise la segreteria e uscí. Chiuse la porta a chiave e lasciò sollevata la serranda.

Mario Santonicola stava passando il ferro sul tailleur della signora Crisanti. Riconobbe le mandate. Si portò dietro la gonna e uscí fuori a vedere.

Dorina si allontanava sotto gli archi, coi passi puntati contro la città. Un'insicurezza dispettosa la portava. Faceva delle frenate improvvise, poi trascinava un po' il passo prima di riprendere l'andatura. Il lavandaio la guardava diventare un corpo fra i tanti in lontananza. Tra poco la strada sarebbe sboccata nel corso principale e lí, dove la città è piú fitta, dove passano macchine di tutti i tipi e ogni due negozi c'è un citofono, l'avrebbe finalmente persa. Un'umiliazione composta

lo prendeva al pensiero che dovunque lei stesse andando, non avrebbe mai potuto sperare di seguirla. Poteva veramente accompagnarsi a lui, un uomo delle pu-
lizie in fondo, con la licenza media e l'educazione im-
parata a orecchio, che non distingueva un vestito
elegante da uno brutto, li lavava soltanto, una donna
come quella, bella in un modo cosí irregolare, figurarsi, poteva trovare chi voleva, aveva solo da scegliere,
gli uomini piú ricchi e importanti della città avrebbero perso la testa per lei, garantito, la seconda volta che
l'avessero vista.

Considerando le possibilità di conquista di Dorina,
Mario si meravigliava di riuscire a non soffrire al pensiero che un altro la desiderasse, e anzi l'idea che un
estraneo, o due, o dieci, la città intera le morisse dietro, lo rendeva addirittura orgoglioso. Eppure, doveva
ammettere un attimo dopo non senza un certo compia-
cimento, di uomini all'agenzia non ne venivano. Clienti sí, ormai ce n'erano abbastanza, si passavano la voce. Ma la stessa faccia non compariva mai piú di due o
tre volte, nessuno si tratteneva piú del tempo richiesto
da una normale sessione di lavoro. Da quello che sembrava, e non c'era davvero ragione per pensare il contrario, Dorina era una donna libera. Questa informazione, cosí accessibile per Mario al punto da dargli l'impressione di svelare una verità innocua, alla fine
compensava la frustrazione di sentirsi tagliato fuori dalla sua vita. Non che lo facesse illudere che un giorno,
però lo rincuorava. Ma dove mai poteva andare a
quell'ora, si scosse improvvisamente il lavandaio sulla
porta, se non incontro a un amore? Che altro poteva esserci in quella smania di lasciare il lavoro se non l'attesa di un incontro, qualcuno che l'aspettava, un uomo
come lui, fatto molto meglio, già se lo vedeva, seduto
in un caffè davanti alla terza pagina di «Repubblica»,
come se il fatto di doversi incontrare con lei non fosse
cosí importante, belloccio, sui quaranta, l'aria interessante, che odio, non ricco, benestante, avvocato forse,
o dottore, che senza nessun merito particolare si era

trovato quella fortuna addosso. A lui che non sapeva apprezzarlo, soltanto a lui, per tutto il tempo che voleva e senza nessun costo, era riservato il privilegio che Mario avrebbe sempre desiderato senza mai averlo.

Mario accarezzò il capo che teneva ancora in braccio, diluí con la saliva il dispiacere che gli era rimasto in bocca e tornò dentro.

Dorina era semplicemente tornata a casa. Aveva cominciato a spogliarsi per le scale, sbottonandosi da sotto il maglione. Appena entrata si levò tutto in un momento. Arrivò nel bagno quasi nuda, stringendo fra le mani i vestiti fatti a palla. Sotto la doccia si accorse molte volte di sorridere.

Si vestí con poco. Un maglione a collo alto che le aderiva appena, dei pantaloni freschi di fustagno, i mocassini. Lasciò liberi i capelli. Un po' li pettinò con le mani. Prima di uscire cercò una mentina.

Dopo tutto il tempo che aveva risparmiato, aspettò l'ascensore. Come fu uscita dal palazzo puntò lo specchietto laterale della prima macchina che si trovò di fronte. Aspettò che non ci fosse nessuno intorno e si chinò a guardarsi.

Livio era appena uscito dall'atrio del palazzo di Lorenzi quando lei arrivò. Lo riconobbe subito, anche se non gli somigliava molto. Lui voltò l'angolo del portone e si allontanò per il marciapiede, con gli occhi che non s'importavano di niente. Dorina si fermò a osservare la disposizione paradossale che aveva preso la loro comune intenzione di incontrarsi. Avesse evitato l'ascensore, se lo sarebbe trovato di faccia. E adesso? Se lo avesse lasciato andare, avrebbe finito per levarselo dalla mente. Accelerò il passo.

Benché avesse immaginato la scena intera (lo avrebbe raggiunto al tavolo della prima volta, lui le avrebbe detto ti avevo vista ma ho fatto finta di niente, poi l'avrebbe invitata a sedere chiedendole cosa prendi e questa volta lei avrebbe risposto un caffè, che le si fossero pure un po' macchiate le labbra stavolta) e invece le cose si fossero combinate in quel modo dispettoso (un inseguimento addirittura, e camminava pure svelto; chiamarlo, forse? Avrebbe dovuto ripetere il suo nome ad alta voce due o tre volte almeno), all'inizio Dorina trovò la situazione intrigante. Dava un certo pizzicore tenergli gli occhi addosso senza che lui sapesse; solo che si fosse voltato indietro l'avrebbe scoperta, e allora che avrebbe inventato per giustificarsi?

Dopo un po' Livio cominciò a rallentare il passo e si fermò davanti a un'officina. Le pareti intorno alle guide della serranda erano macchiate d'impronte di catrame fino a terra. Il ponte sollevatore faceva rrrrr (chissà se saliva o scendeva; da dov'era lei non si vedeva ancora). Livio si strinse nel soprabito, tirò su il bavero, buttò due volte la testa in avanti e ripartí.

A quella vista Dorina ebbe voglia di andarsene. Una delusione gelata e infida le si era rovesciata addosso e attraverso i suoi occhi infieriva sull'immagine di Livio immiserendola, divorandone la bellezza. Può succedere cosí alle volte, si sente uno scatto dentro, come fosse scaduto il tempo della gioia, si abbassa quella luce tiepida che chissà chi aveva perso e adesso rivuole indietro e le cose si ammalano di nuovo, riprendono il loro aspetto rassegnato, senza speranza, come una strada di periferia alle quattro del pomeriggio. Che aveva fatto di male Livio? Possibile che quell'aggiustarsi nei vestiti l'avesse ferita tanto? E poi che colpa aveva dell'officina? Non c'era nessuna ragione per cui Dorina dovesse cambiare opinione su di lui, eppure in quella sosta, in quel gesto da niente, in quel metro quadro di marciapiede, Livio era diventato una persona qualunque. Una svista. Uno sbaglio da non fare.

Il solo modo di uscirne era buttarsi. Lavorare sul tempo. Attaccare prima di essere sopraffatta.

– Livio.

Lui fece sí e no con la testa, poi si voltò. Quasi non la riconobbe.

– Ciao, – disse lei. – Ti stavo seguendo –. E diede un sospiro. Le piaceva come la prima volta. Forse di piú.

Livio avrebbe voluto dirle qualcosa che le dichia-
rasse almeno un po' quanto l'aveva aspettata.

Le parole non venivano.

Ma aveva il sorriso stampato sulla faccia, e non riusciva a farlo venir via.

6.

Dorina stava sdraiata su un fianco. La pancia dava piccoli colpi. Non era venuta del tutto. Ma la stanchezza che provava era una sensazione compiuta. L'aria era un solo odore mischiato, acido e buono.

Ogni volta dopo l'amore, Dorina sentiva una leggerezza ambigua, del tipo «mi manca un pezzo». L'impressione che le fosse stata tolta della carne, da qualche parte. Come il risveglio dall'anestesia, e la sensazione caratteristica dell'asportazione. E pure lei pensava di aver fatto qualcosa come mordere, strappare e ingoiare per fame. Sembrava una bella idea.

Un abbandono vagamente simile se lo procurava da bambina con un gioco che aveva inventato a casa dei nonni. Si rannicchiava su un cuscino del divano in mezzo al pavimento del salone, poi teneva gli occhi chiusi finché il mare non cominciava a dondolarla. Era perduta, lontanissima. Migliaia di mostri che abitavano nell'acqua l'avrebbero ingoiata appena avesse messo fuori un piede, una mano o peggio ancora la testa. Ma sul cuscino non potevano arrivare. Sul cuscino era salva.

Oggi ho trent'anni. E il gioco va al contrario. Il cuscino non è vero. Il mare sí. Non c'è un posto dove siamo completamente al sicuro.

Allungò la mano e lo cercò. Sembrava ancora piú reale, adesso che lo toccava senza una ragione precisa.

Non le rispose subito. Eppure aveva la sua mano tra l'inguine e la coscia. Lei infatti si domandò.

– Ti volevo chiedere, – disse allora Livio approfittando della carezza. Lei fece hm-hm senza muoversi.
– La prossima volta avvertimi. Ti voglio aspettare.
Dorina fece per voltarsi, poi si lasciò andare di nuovo. Livio l'abbracciò da dietro, facendo coperta del suo
corpo.
Dorina chiuse gli occhi e scivolò in qualche parte
molto bassa di sé, dove riconobbe la felicità.

La mattina si svegliò molto presto. L'altro lato del
letto era garbatamente ricomposto. Cercò di prepararsi piú in fretta che poteva e uscí di casa senza borsa.
Le piaceva camminare nella città ancora imbevuta di
sonno. Chiunque vedesse le sembrava di avere il diritto di chiedergli beh, che ci fa lei qui? Camminava leggera, orgogliosa di non portare niente con sé. Ogni tanto le scappava un saltello.

Livio, ancora in pigiama, si arrotolava i calzini seduto sul bordo del letto. Il dubbio con cui era andato
via da casa di Dorina aveva già ricominciato a tampi-
narlo. Si era alzato pianissimo, aveva portato fuori i
suoi vestiti un panno per volta e prima di uscire le aveva lasciato due righe. Appena in strada, gli era venuto
quel sospetto.
Ma che andava a pensare? Perché mai Dorina avrebbe dovuto fare finta di dormire? L'aveva delusa in
qualche modo? Forse non era stato abbastanza delica-
to? Vattene va', che stronzate ti vengono in mente,
s'era zittito da solo. Vuoi che dopo quello che è successo abbia fatto la commedia per liberarsi di te, la-
sciarti andare senza nemmeno salutarti? È ridicolo.
Ma come spingeva via il pensiero maligno e si voltava dall'altra parte, quello gli tornava contro, rime-
stava nella diffidenza e la mandava ancora piú dentro.
Eh, però, si diceva. Mica sono un paranoico. Se mi è
venuta questa cosa in testa, un motivo ci sarà. E cosí
quel dispetto lo aveva seguito passo passo fino a casa.
– Hai finito? Lavati i denti che sono pronta, – lo

scosse la voce di Laura che dal bagno parlava a Martina. Livio mandò l'orecchio alla cucina. La sedia trascinata verso l'acquaio (Martina non arrivava al rubinetto), il getto che riempiva e vuotava la tazza del latte. Allora sentí un'irruzione, un sentimento gratuito e
orticante che diventava bisogno di stringere, strofina-
re, avere contro di sé. Poi il sospetto di prima tornò a
interferire. Fece finta di ignorarlo e s'infilò l'altro cal-
zino.

   Entrò Laura, lo baciò da lontano.

   – Noi usciamo, che è tardi –. (Martina era sbucata
dietro di lei). – Il caffè è già sul fuoco, vallo a vedere
non ti dimenticare. E fai benzina se ti trovi, è quasi a
rosso.

   – Ciao papà.

   Livio non disse una parola e le guardò con un'espressione vagamente allibita. Laura pensò speriamo che non
fa scoppiare la macchinetta come l'altra volta.

   Per le scale, la sera prima, Livio aveva cercato di immaginare cosa avrebbe provato la mattina, vedendo
Laura organizzare la giornata. Intorno a lui, la vita ricominciava come al solito. Laura stava uscendo, in una
mano quella della bambina e nell'altra la lista della spesa scritta sul retro del conto del fruttivendolo (nel dormiveglia l'aveva sentita trafficare in cucina, coperchi
levati e messi, vago odore di buono, crema di latte forse, e prosciutto a dadini), la luce che invadeva le stanze, la voce senza faccia del notiziario televisivo. La mattina durava niente, era iniziata appena e già precipita-
va verso il pranzo lungo i tempi scivolosi del bagno,
degli interruttori della luce, del giornale radio, del telefono, della cucina da avviare, della spesa, della scuola, e tutt'intorno la casa aspettava e serviva, ricambiava le cure ricevute con l'aspetto fedele di un amico che
sa rassicurare e risolvere.

   Livio assisteva inebetito allo spettacolo di quella
realtà innocente che andava avanti senza sapere. Era
tutto cosí ordinario, cosí ingannabile. Si sentiva implicato, come avesse accettato dei soldi. Laura, Martina,

i suoi riferimenti, i progetti. Bastava non dire. Bastava semplicemente non dire per conservare ogni cosa.

Ma c'era di piú, come un'incompletezza che non capiva e proprio per questo lo inquietava. Dorina si era data a lui completamente, solamente. Però qualcosa che non era riuscito a prendere. Non un segreto, niente di nascosto. Di lei lo intrigava il poco, le quattro cose che teneva in casa, i panni semplici che vestiva, il nessun bisogno di altro. Una luce tiepida nello sguardo da cui traspariva come una stanchezza, una leggera sfiducia. Standole vicino si aveva l'impressione che non le importasse possedere. Che un momento dopo aver trovato la felicità non smaniasse come tutti per tenersela.

La bellezza ha questo di caratteristico per chi la guarda, solleva cose rimpiante. Livio ricordava copertine di libri, odori sentiti di sfuggita in una strada in cui era stato una volta sola in vita sua (come mai si era trovato a passare di là?), gite scolastiche di un giorno, esami superati, occhi sconosciuti incrociati per caso in un caffè (guardava me; non ci posso credere ma stava guardando me), amori decisi al momento e fatti in piedi dove capitava; giorni in cui aveva creduto che ci fosse un destino e si potesse trovare il proprio, e tutto era spazi ampi e tempo favorevole, niente che gli facesse paura, il mondo sembrava complottare per lui dicendogli vieni, da questa parte, e lui si sentiva scorrere nella vita attimo per attimo, era capace di credere, di desiderare e di costruire.

Dov'era finito tutto questo? Che restava della persona che avrebbe potuto essere? In quale momento aveva accettato di arrendersi a una vita qualunque (quel senso di inutilità che all'improvviso lo afferrava sulle scale di casa, durante la barba o mentre trattava un pezzo d'epoca)? Da quanto non sceglieva. Da quanto non soffriva. Da quanto aveva cominciato a dire «Meglio cosí» e non l'aveva piú smessa.

Contro il desiderio spingeva adesso una specie di rabbia. Dorina era tutto quello a cui Livio aveva rinunciato. E il pericolo. Il bisogno di lei, il ricordo del

suo corpo abbandonato e consenziente, erano superficie. La verità era in una nuova paura che si stava insi-
nuando in lui, nella scoperta di un sé che mirava alla
rovina di Dorina con lo strumento dell'amore. Livio la
voleva come si può desiderare una terra, una cosa da
occupare. Era stato spinto dalla sua unicità, ma nel
profondo di sé avrebbe voluto scoprire che era una donna come tante. E questa consapevolezza, col rischio che
comportava, scatenava la piú ovvia delle angosce, quella di uno sfascio imminente e inevitabile. Livio vedeva vicinissimo il distacco, la ferita che stava per aprire,
Laura senti ti devo dire una cosa, gli avvocati, l'assegno, la bambina due volte la settimana tutta la giornata e mai piú fino alla settimana successiva, e gli rim-
bombava nella testa quello che gli aveva detto un amico separato una volta: non sai che dolore quando tua
figlia ti dice grazie ogni cosa che le compri, si può sop-
portare un altro fallimento ma non questo.

Scattò in piedi come per cercare qualcosa a cui ag-
grapparsi. Afferrò la rubrica sul comodino, aprí a caso
e vide il numero del preside Baschieri.

Pochi giorni prima Baschieri aveva chiamato in galleria chiedendogli la valutazione di una credenza («Naturalmente mi farà sapere cosa le dovrò per il disturbo, ma no ma no, come niente, non voglio approf...,
e va bene lei è sempre cosí gentile») di cui, diceva, un
professore u-ni-ver-si-ta-rio che era stato a cena da lui
s'era invaghito al punto da insistere per tutta la serata perché gliela vendesse («Una cifra che guardi, quasi mi vergogno a riferirgliela, chi si immaginava che
valesse tanto, meglio se non gliela dico al telefono, ne
parliamo con calma quando viene»). Per tutta la conversazione Livio aveva tenuto il telefono a venti cen-
timetri dall'orecchio, facendo cerchi in aria con l'altra
mano. E benché Baschieri fosse l'ultima persona al
mondo da cui avrebbe comprato qualcosa (tutto importanza e concessione, altezzoso e tollerante quanto
piú si sforzava di sembrare alla mano; ma pensava davvero che non si capisse dove voleva andare a parare?),

adesso gli serviva un impegno e aveva deciso di incontrarlo.

Si preparò velocemente.

Sulla tangenziale, sistemando lo specchietto retrovisore, gli sembrò che la vita stesse ritornando la solita cosa gestibile.

Fortunatamente trovò la moglie. Lo ricevette nel salotto, dove tenevano la credenza. L'arredamento di casa Baschieri era pacchianamente elegante, e l'occhio di Livio, pure ammettendo il valore di molti pezzi, reggeva a fatica l'insoddisfazione.

– Mi dispiace che sia venuto fin qui, – venne subito al punto la signora Baschieri. – Le potevamo portare noi qualche fotografia appena ci fossimo trovati in città. Il fatto di abitare lontano mi fa sentire in colpa verso le persone che vengono a trovarci.

– Non si preoccupi, davvero, – disse Livio accordandosi volentieri sul tono confidenziale che gli era stato rivolto. – Stamattina non avevo impegni. E poi mi fa sempre piacere vedere da vicino un pezzo che non cono... – Non riuscí ad arrivare alla fine che la moglie del preside gli aveva già offerto il caffè. Livio rifiutò e poi disse di sí.

La signora Baschieri era una donna piccola dai modi semplici, portati da una vaga e piacevole indolenza. Colpiva di lei il fatto che riuscisse a essere gentile senza fare niente per sembrarlo. Nei suoi modi cortesi non c'era niente di troppo. Il suo garbo arrivava da qui a lí, subito. Non chiedeva quanto zucchero, porgeva il cucchiaino. Non invitava a entrare, si avviava. Chissà come si è presa quel fesso, era l'opinione di Livio.

Bevve il caffè soffiandoci sopra continuamente, e dopo qualche frase di circostanza si alzò per esaminare il mobile. Strinse insieme gli spigoli dei due lati opposti del piano d'appoggio come per trattenere a sé la credenza intera, e lo fece con tanta determinazione che sembrò che il giudizio sulla compattezza del mobile dipendesse dall'esito di quella manovra. Aprí le ante, le scosse appena per valutare la resistenza delle cerniere, richiuse e riaprí. Con la mano frugò sul fondo e sulle pareti interne. Poi guardò il legno da vicino e ci accostò anche l'orecchio. A quel punto la signora Baschieri, che fino ad allora aveva atteso in rispettoso silenzio, domandò.

Livio disse che la credenza aveva bisogno di un restauro accurato che mettesse al primo posto il reperimento e la sostituzione delle maniglie e dei vetri giusti per le alzate. La particolarità di quel mobile, spiegò Livio alla signora Baschieri che ascoltava non troppo interessata, era la presenza delle vetrine anche sui fianchi. Ma al posto dei bei vetri soffiati che un mobile di quell'epoca avrebbe dovuto montare, c'era del cristallo scadente che ne menomava di parecchio il valore estetico. Un peccato, per un buon pezzo italiano seconda metà dell'Ottocento, per il resto conservato discretamente (la signora Baschieri gli avrebbe poi raccontato che i vetri originali erano andati rotti durante un trasloco). Dettagli: una buona pulita che restituisse lucentezza al mobile (se volevano poteva indirizzarli lui da uno davvero bravo) e la credenza avrebbe ritrovato il valore che meritava. Quattro, cinque milioni. Sei, con un po' di pazienza.

La signora Baschieri ringraziò, chiese se voleva dell'altro caffè, lui disse no grazie quindi lei lo accompagnò alla porta.

Allora ci sentiamo. E lo congedò con lo sguardo di chi vuol dare a intendere qualcosa che non può dire apertamente. Chiaro che si stava scusando del marito.

Livio trovò la via del ritorno curiosamente libera. Guidava cadendo dalle nuvole, come fosse un giorno qualunque e la sua vita si riferisse alle solite cose. La galleria, il trumeau da consegnare, Laura e la tesi, Martina e i compiti, chissà che c'è per pranzo, è quasi ora, meno male si cammina, fai che trovo posto sotto casa. Ma come arrivò sotto la strada a senso unico che saliva al suo quartiere e vide davanti a sé il corso ancora sgombero di macchine che spalancava la città, capí che doveva smettere di fingere. Un po' di traffico sarebbe stata una buona occasione per riflettere: con la strada libera non c'erano piú scuse. Una delle arterie principali della città, solitamente stipata di macchine, si lasciava attraversare come niente, invitando addirittura alla lentezza. Quella calma innaturale rendeva ancora piú urgente la sua scelta. Qualche passante dai marciapiedi gli rivolgeva già lo sguardo avanzando il diritto a una spiegazione. Era capitato nel pieno di una tregua, uno di quei momenti (passano presto ma capitano) in cui la città, sfinita dai milioni di bisogni che le stanno addosso, si prende una pausa. Uno dei segnali di questa tregua è appunto la scomparsa del traffico. Ma guardandosi intorno si coglie la stessa indolenza, lo stesso senso di attesa nelle insegne dei negozi, sulle targhe dei professionisti, sui balconi dei palazzi, nell'aspetto appena un po' piú stanco dei pali della luce. Subito dopo, con la stessa rapidità con cui s'era accasciato, tutto ricomincia a funzionare. Milioni di comandi, ognuno per una ragione diversa, vengono eseguiti nello stesso tempo, e riavviano la macchina.

Ma intanto la quiete durava, come musica galleggiava a mezz'aria tra i palazzi. La via era sempre libera, le poche macchine che c'erano procedevano senza importanza. Su o giú? Livio ancora non si decideva.

Come una spinta ricevuta alle spalle, schiacciò il pedale dell'acceleratore e partí dritto verso la città.

7

Ma un momento dopo che ebbe ingranato la marcia cominciò a farsi una domanda dietro l'altra. Perché si comportava cosí? Perché quell'impazienza? Com'è che all'improvviso gli scappava di vederla, dopo che per tutta la mattina non aveva fatto altro che nascondersi? A proposito, bel modo di trattare le persone. Sei sparito senza nemmeno una telefonata. Sí, le hai scritto il biglietto, e allora? Te ne sei andato che dormiva: lascia stare che l'hai creduta sveglia e hai passato la notte con quel doloretto (ma poi ci credevi veramente?): tu te ne vai, lei è di là, sdraiata nel buio, innocente. Questo è successo. Si sveglia, non ti trova. Trova il biglietto. La prima cosa a cui pensa è il telefono. Riprende a occuparsi di sé, della casa, fa la doccia, mette un po' in ordine, si prepara qualcosa per cena. Ma non è vero, ti aspetta. Passa la sera, la notte. Tu non chiami. Neanche la mattina ti fai sentire. Lei esce, va al lavoro. Mi chiamerà lí, pensa, ieri non avrà potuto. Ma il telefono non suona. E già, tu eri impegnato, dovevi andare dall'altra parte della città, Baschieri se no come faceva senza di te. Allora perché l'hai cercata, che cazzo ci sei andato a fare tutti i giorni da Lorenzi, che l'ultima volta quei due al banco bisbigliavano fra loro e avresti giurato che parlavano di te («L'hai visto quello, guarda come spera, manco oggi è venuta»); sí certo, che ti credi, che non si vedesse? E poi quella sosta patetica in mezzo alla strada tutto quel tempo.

Livio continuava a scivolare sulla strada. Il pensiero

di Dorina si dilatava in lui con importanza. Non si era mai sentito tanto vicino a qualcuno in cosí poco tempo. Ripensò al momento in cui aveva deciso di parlarle di Laura e Martina, alla preparazione che aveva ritenuto necessaria per difendersi dal rimbalzo della delusione di lei, alla considerazione dei suoi diritti. Quando le aveva detto senza mezzi termini («Le farò male, ma meglio tutto in una volta e subito») che erano le cose a cui piú teneva nella vita, Dorina aveva fatto la faccia dello scampato pericolo. E lui aveva provato quella inaffidabile impressione di scampo che viene dopo un urto violento, quando sembra che niente faccia male ma si resta in attesa del dolore. La strana reazione di Dorina avrebbe dovuto risollevarlo. E invece aveva sentito lo scatto di un problema molto lungo a risolversi.

Probabilmente fu il bisogno che qualcuno, chiunque, lo tirasse fuori da quell'angoscia, a farlo svoltare improvvisamente. Non aveva pensato a Laura. Ma prendendo la stradina a senso unico che saliva verso il duomo s'accorse che non era lontano dalla galleria. Lasciò la macchina al parcheggio orario e fece a piedi la zona vecchia della città in direzione del negozio. Arrivò alla galleria con i passi dell'abitudine. Si fermò davanti alla vetrina.

Laura era alla scrivania, davanti a due libri aperti. Un po' di sole entrava nel negozio e le prendeva il contorno dei capelli, facendole delle sfumature azzurre. Sembrava cosí assennata, cosí coerente. Livio rimase fuori a guardarla. Concentrata com'era sulla tesi, non si accorse di lui.

Era bella, oggettivamente bella. Livio si accorgeva facilmente quando qualcuno gliela invidiava. Nonostante il matrimonio e la bambina, non sembrava una donna sposata. Anche se sapeva di pareti domestiche, di biancheria riposta con ordine, di febbri curate, Laura avrebbe ancora potuto far rincretinire piú di un uomo. Nello sguardo, nella voce, nel modo di sorridere che mandava un'allusione inaspettata al corpo (se ne accorgeva o no?), conservava quel tanto di sottratto, di non concesso, che irritava e attirava. Oltre e insieme a tutto questo, era fiducia e riferimento.

Aveva accompagnato i tempi piú importanti della vita di Livio. Gli era stata a fianco nelle scelte meno convinte, si era interessata al suo lavoro, l'aveva imparato fino a diventare brava. In parte, si sarebbe potuto dire che gliel'aveva insegnato lei. Era una di quelle donne che vedi immediatamente in prospettiva. Ti conquistano per la naturalezza con cui sembra che sappiano aspettare le cose e poi farle andare dalla parte giusta, e quella misteriosa capacità di convincerti di avere buone mani per la tua vita.

Livio l'aveva voluta sposare presto. E lei aveva accettato volentieri, con lo stesso semplice sí della prima volta. La vita con lei era stata un unico susseguirsi naturale e ordinato. Perfino il parto. Le vennero le doglie che era sola in casa, e se ne andò in ospedale senza dire niente a nessuno. Livio non fece in tempo ad arrivare che Martina era già nata.

– Perché non mi hai chiamato, – le chiese appena lo fecero entrare.

– O ti chiamavo o facevo la bambina, – gli rispose lei.

Aprí la porta ed entrò.

– Hò, – fece Laura alzando gli occhi.

– Ma che bell'antiquario, – rispose Livio, e le andò a schioccare un bacio sui capelli.

– No, no, che sono sporchi, – provò a scostarsi lei. Livio si levò il soprabito e andò a sedersi dall'altra parte della scrivania.

– Dove sei andato? – chiese Laura arrivando alla fine della riga.

– Baschieri, – disse Livio.

– Allora, vuole che lo compri?

– Credo. Comunque lui non c'era, ho parlato con la moglie.

– Però?

– Bisogna rimetterlo a posto, ma bene. E spendi. Poi non so quanto ci può volere a piazzarlo.

– Di' la verità, – suggerí Laura come le si fosse confermata una teoria, – è che non ti va di fare un comodo a Baschieri.

– Dici? No, penso di no... o forse sí.

– Allora perché ci sei andato?

Livio rimase senza parole. Era la prima gaffe. Quante altre ancora ne sarebbero venute?

– Oh, ma che, te la sei presa? – fece Laura tirandolo fuori dai guai.

– Noo, scherzi? – approfittò subito lui. – È che c'era un traffico. Non so chi mi ci chiama a rovinarmi le giornate –. In quell'esatto momento pensò: basta, che ci faccio qui. Si alzò, mise il soprabito.

– Adesso vado. Finisco le ultime cose e...

Laura si era messa a cercare in una nota a piede pagina, e non gli badò.

Sulla porta la salutò di nuovo. Lei continuava a leggere. Sollevò gli occhi dal libro solo quando lui aprí, facendo suonare il campanello interno.

Trovare l'agenzia di Dorina non fu molto facile. Stava in un borgo decentrato e pieno di botteghe che attraversava un quartiere intero. Per di piú, ai commercianti non era permesso usare le insegne a bandiera.

Il nome dell'agenzia era scritto a decalco sulla porta dell'ufficio. Era una porta a vetri, opachi per tre quarti. Livio si fermò a guardare. In alto, quasi sotto l'insegna, ordinate come un pallottoliere, c'erano le effigi di tutte le facoltà universitarie della città. Piú giú, alcune proposte di fitto a studentesse. Anche un annuncio firmato fermoposta. «Organizzazione internazionale, Diritto del lavoro, Letteratura nordamericana, Storia dei rapporti tra Stato e Chiesa. Tesi pronte su dischetti. Stampa a richiesta. Prezzi interessanti».

Livio provò a entrare. La porta era chiusa. Si sollevò sulle punte per superare la zona scurita del vetro e guardò dentro.

Una scrivania. Un computer. Un telefono senza fi-

lo. Uno schedario antico. Una sola stampa grande incorniciata. Un divanetto. Dorina non c'era.

Bussò con le dita. Suonò il campanello. Nessuna risposta. Aspettò inutilmente qualche secondo fissando
da vicino il battente anodizzato della porta. Poi si
voltò, e guardandosi intorno senza ragione la vide, sul
marciapiede di fronte.

8.

Era cosí vicina da poterle parlare nell'orecchio. Quell'odore di pelle non contraffatta da nessun profumo, quei denti cosí bene allineati, quell'impressione appuntita del viso. Livio abbassò lo sguardo e lasciò andare la voce. Il fiato non durò il tempo delle parole.

– Se vuoi me ne vado.

Dorina gli disse qualcosa con gli occhi. Poi gli infilò una mano nella tasca del soprabito, dove Livio teneva la sua.

Livio strinse come un bambino che si aspetta il rimprovero e trova la comprensione. Sul viso di Dorina non c'era la piú piccola traccia di risentimento, anzi come una gratitudine, pur se non rivolta a lui direttamente. Livio si sentí un idiota al pensiero della mattina perduta, della vetrina di Baschieri che non voleva comprare, della città percorsa inutilmente in macchina. Sentiva venire da Dorina una particolare comprensione, come si stesse appropriando della sua umiliazione facendone qualcosa di bello.

E come una coincidenza perfetta, come la memoria che all'improvviso ci restituisce completamente una faccia conosciuta che non riuscivamo a ricordare dove e quando l'avevamo vista, Livio ripensò a Fango. Lo aveva raccolto sulla tangenziale una sera di pioggia, i primi tempi che era andato a stare da solo. All'inizio fu facile viverci. Chiedeva di mangiare due volte al giorno e di uscire tre. Comunicò a Livio le sue poche esigenze con una puntualità degli orari che aveva dell'impressionante. Chissà se si era perso o l'avevano abbandonato. Di sicuro, un cane con abitudini cosí assimilate doveva già essere appartenuto a qualcuno.

Da un giorno all'altro, senza nessuna ragione apparente, Fango diventò un problema. All'inizio Livio non capí che il motivo dei suoi primi dispetti (la pipí sul tappeto, il divano morsicato, gli scioperi della fame) era la sua assenza da casa per il lavoro. Quando poi Fango cominciò a ringhiargli appena lo vedeva prepararsi per uscire, e dopo un po' prese a strepitare e a ululare tutto il tempo che lui non c'era, e le telefonate dell'amministratore condominiale cominciarono a farsi continue, Livio decise di sbarazzarsene.

Una mattina, dopo il giro dei bisogni, lo fece salire in macchina e partirono. Quando presero la tangenziale, Fango si rizzò in piedi sul sedile e guardò verso la città che si allontanava dietro di loro come avesse capito quello che lo aspettava.

La mattina dopo Livio si svegliò con il ribrezzo per quello che aveva fatto e tornò sulla collina a cercarlo. Mentre chiamava il suo nome ad alta voce facendo a piedi la strada che attraversava la campagna infettata dai rifiuti che la costeggiavano (fustini e plastica con l'aspetto degli anni, mucchi di calcinacci e di piastrelle scheggiate, lavabi e altra porcellana da bagno con le etichette ancora in vista, scaricata per chissà quale difetto), cercando in ogni anfratto ogni possibile riparo offerto da quel paesaggio sconfortante, si accorse che quello che piú temeva era che Fango non si sarebbe lasciato prendere se fosse riuscito a trovarlo. Quando finalmente lo vide, accucciato sotto il rottame di un camioncino abbandonato sul ciglio della strada e gridò forte il suo nome, e Fango gli corse incontro guaendo e gli saltò addosso quasi abbracciandolo e orinando senza trattenersi dalla gioia, ed era già diverso, già con la morte addosso, un puzzo denso di rancido e ferite, sangue raggrumato su un orecchio e sulla gola, allora Livio capí che cos'era un bene vero, un amore fedele e gratuito. A ogni guaito la bestia diceva sei tornato, lo sapevo che non mi potevi fare questo, e lui che era stato sempre cosí schizzinoso si lasciò sporcare e leccare in faccia e fra i capelli, non gliene fregava niente della bava e del sangue e del piscio e si accorse che aveva cominciato a piangere anche lui insieme a Fango, e allora lo riportò in macchina in braccio anche se non ce n'era bisogno e il cane si affidò di nuovo a lui come un bambino e continuando a guaire e a tremare si allungava con la testa per leccarlo in faccia, fosse anche morto in quel momento sarebbe stato felice perché lui era tornato a prenderlo.

– Dài vieni, – disse Dorina. – Cosí mi fai pure una valutazione gratuita dello schedario della nonna.

Livio perse ogni contegno. Si ridusse a un silenzio indifeso e scoperto che diceva dammi la mano, riparami tu. Lei, come avesse sentito, aprí la porta dell'ufficio e lo tirò per un braccio.

Livio si fece quasi trascinare. L'agenzia di Dorina, adesso poteva vederla dall'interno. Sentiva di non meritare l'invito in quell'altro posto della sua vita, lui che si era scoperto cosí tirchio della propria. Non era successo niente, lei lo voleva ancora. Al posto dell'ostilità e della paura c'era soltanto un bisogno infantile e cocciuto di rassicurazione.

Non riuscí a controllarsi. La tirò a sé con una specie di fame. Lei lo lasciò fare come voleva. Lo sentí cercarle nella bocca, raccoglierle la lingua con le labbra, succhiare e poi lasciarla andare a malincuore, come in un impulso improvviso di impotenza.

– Io non me ne vado, – disse Dorina. – Non devi preoccuparti.

9.

Livio si prese tutto il pomeriggio. Chiamò Laura dall'ufficio di Dorina, e le disse di non aspettarlo. Non ci fu bisogno di particolari, Laura stava finendo, pensava soltanto alla tesi.

Uscirono dall'agenzia che erano quasi le due. Dovevano essere belli insieme, perché piú di un passante si voltò a guardarli.

I negozi avevano già chiuso. Anche Mario Santonicola era andato via da un pezzo. Non era passato a salutare Dorina come faceva di solito, pensando di aggiungere una prova di discrezione alla lista delle qualità che sperava silenziosamente di mostrarle.

Passarono davanti a una trattoria del borgo dall'aspetto arrangiato e appetitoso, con le tovaglie a quadretti.

Scelse Dorina. Eliche zucca e ricotta. Le piaceva il suono. Il cameriere doveva andare a simpatia e antipatia, perché li accolse con una gentilezza particolare e li serví prima dei clienti che già aspettavano.

Mangiarono per modo di dire, una forchettata ogni tanto, che mescolava piú che prendere. A vederli si sarebbe giurato che fossero riparati da qualcosa, una specie di tettoia, un archetto. Reso ancora piú evidente dal movimento e dal rumore intorno.

– Senta! – continuavano a ripetere in direzione del cameriere, che pareva ignorarli volutamente, due sui quarant'anni, bancari d'aspetto, che avevano già finito il cestino del pane a forza di aspettare il primo. Una signora sui sessanta, seduta a un piccolo tavolo nell'angolo, rallentava manifestamente il taglio della sua bistecca chiedendo l'oliera ora a questo ora a quest'altro cameriere. – Guardi che la carne è già a metà, non ho mica ordinato l'insalata per bellezza!

A volte rideva Livio per primo e Dorina gli andava dietro, oppure il contrario, come dicendosi ma non potevamo andare direttamente a casa?

Il conto. Finalmente mangiano anche i bancari. La signora non c'è piú, l'insalata è rimasta dov'era, intatta. Accanto al bicchiere c'è un mucchietto di banconote assicurato da una bassa torretta di monete che ha l'aria di corrispondere puntigliosamente al dovuto.

Questa volta pago io, le dice. Come questa volta, fa lei. Lorenzi, le risponde. E capirai, vuoi mettere un caffè e un succo di frutta con un pranzo intero, dice lei muovendo le mani come per spostare un pacchetto da una parte all'altra. Pranzo intero, dice lui: un piatto di pasta!

Per le scale Dorina pensò che Livio volesse fare l'amore subito. Invece appena in casa le chiese di restare sdraiati nella penombra. Dorina disse di sí, accorgendosi di non essere affatto meravigliata della sua richiesta.

Andarono in camera da letto, lui si levò le scarpe, Dorina abbassò la persiana a metà. Restarono abbracciati per parecchio tempo, prima. Dorina si accorse fin dalle prime carezze che Livio non voleva niente per sé. Lo sentiva piú leggero del giorno precedente. Si muoveva lentamente, a momenti si fermava e senza uscire da lei le schiariva la fronte con una carezza.

Dorina sentí il materasso dondolare e uscí dal dormiveglia. Livio era in piedi che s'infilava la camicia nei pantaloni, il colletto voltato all'insú. Sembrava l'avessero chiamato per spostare la macchina. Dorina si alzò e senza farsi sentire si infilò in bagno.

Livio finí di prepararsi stando attento a far cadere la cravatta sulla cintura. Quando fu pronto per uscire vide la cornice illuminata della porta del bagno. Soltanto allora si accorse che Dorina era uscita dal letto.

Una fitta, un freddo, una cosa che aspirava dall'interno. Tirò su il copriletto e si mise a sedere. Passarono dei lunghi minuti. Dorina non usciva.

Arrivare dal letto alla porta fu semplice. Ci volle molta piú fatica a prendere l'iniziativa della parola.

– Sto andando via, – disse rompendo il silenzio dall'altra parte della porta. – Non mi saluti?

Livio la sentí aprire e chiudere il rubinetto. Un momento dopo Dorina aprí, la maglietta e nient'altro. Quella passività nell'espressione degli occhi, quel piccolo sconforto. Livio la guarda, non sa che cosa gli dirà, ma per il momento ce l'ha davanti e non gli importa di altro.

Dorina gli prese la testa con una mano. Assurdamente, eppure comprensibilmente, Livio immaginò quell'atto come un gesto di morte. Se adesso mi facesse del male, pensò, se volesse ferirmi, sottomettermi, portarmi vicino per colpirmi nel piú basso dei modi, glielo lascerei fare. E si abbandonò completamente a lei. Che invece se lo portò alla bocca con le mani.

– Non voglio restare a letto a guardarti, quando te ne vai.

La mattina dopo, molto presto, Dorina fu svegliata dal campanello del citofono. Era Livio. Non fece in tempo a pensare a un motivo che lo portasse da lei a quell'ora, che lui era già alla porta.

– Ciao, – disse Livio senza entrare. – Ti ho svegliata?

– Che è successo?

– Niente, niente. Volevo solo lasciare questo, prima di mettermi in giro –. E dal taschino interno della giacca tirò fuori un sacchetto di carta, di quelli che si usano in tabaccheria.

Dorina lo guardò confusa. Livio si teneva con la mano al pomello della porta.

Dorina prese la bustina e l'aprí. C'era uno spazzolino, e del dentifricio.

– Possono restare? – domandò Livio senza muoversi dallo zerbino.

Dorina lo guardò. Sembrò iniziare una valutazione
e interromperla subito. Rispose di sí, semplicemente.

Livio la tirò verso di sé prima che potesse trovargli
gli occhi. La salutò in fretta e fece le scale a piedi.

10

Avevano stabilito i giorni dispari, e qualche sabato mattina. Quando Dorina si addormentava, Livio si alzava e se ne andava in giro per casa. Toccava i mobili, le cose di lei. Si metteva in tutti i posti dove ricordava di averla vista. La cercava nelle sedie, sulle maniglie delle porte, nei quadri, fra i piatti e i bicchieri. Certe volte apriva anche i cassetti. Dopo era ancora piú bello tornare in camera da letto e ritrovarla, magari tra il sonno e la veglia.

Ma quello che piú lo colpiva di Dorina era il silenzio. Con lei tutto era occhi, smorfie. «Se parli tanto di una cosa, – gli aveva detto una volta, – finisci per non capirla piú». Inutilmente, quando erano uno nell'altra, Livio cercava di strapparle qualcosa che pensava non gli avrebbe detto in un altro momento. Dorina buttava la testa indietro e lo trascinava ancora piú dentro. Quando l'ultima parola di Livio era stata completamente risucchiata dal silenzio, il corpo di Dorina riprendeva ad affidarsi.

Prima di allora, Livio era stato una sola volta con un'altra donna. L'aveva conosciuta al telefono per sbaglio. Voleva chiamare la banca e gli aveva risposto lo studio legale Barbarulo-Cinelli-Gomez, dove lei lavorava. Fu una conversazione perfetta, di quelle con le parole tolte e messe da una bocca all'altra. L'impressione che Livio e Maddalena (era questo il suo nome) ebbero del loro curioso incontro, come piú tardi si dissero (o meglio lui disse a lei, che si trovò d'accordo), era che a piacersi fossero state le loro voci e non loro. Che loro due avessero soltanto partecipato, come i genitori di due bambini che non volevano lasciarsi. Quando venne il momento di salutarsi, sul bilico di un silenzio pesantissimo da mantenere, Livio prese l'iniziativa.

– Però è un peccato.

– Che cosa? – chiese lei.

– Che adesso attacchiamo.

– Perché?

– Eh, praticamente ci diciamo addio.

Maddalena rispose con una fermezza impressionante. La sicurezza propria delle decisioni prese da un momento all'altro.

– Hai fatto questo numero per sbaglio. Lo potresti rifare apposta.

Scoparono di giovedí, alle quattro del pomeriggio, nell'appartamento di un amico di Livio in attesa di affitto. Non piacque a nessuno dei due.

– Possiamo sentirci, qualche volta. Andare a pranzo fuori, se ti va, – la salutò Livio con tenera ipocrisia.

– Come no, – rispose Maddalena, e scomparve per sempre dalla sua vita.

A Laura, Livio non lo disse. Da anni mandava in giro l'opinione che il dolore deve essere costruttivo, e visto che la frase riscuoteva un certo successo, ne faceva legittimamente uso. Da Maddalena in poi si era messo in testa l'idea che la fedeltà andasse tenuta d'occhio come i bambini con gli spigoli dei tavoli. Aveva conosciuto persone con amanti, e non ne aveva mai invidiato la condizione. Li aveva visti fingere e mentire, fare del male senza volere anche quando lo facevano apposta, perdere la dignità e soprattutto il senso del ridicolo quando la cosa diventava evidente.

Con Dorina no. Lo aveva capito dall'inizio che non avrebbe mai interferito nella sua vita. E questo, invece di rendergli le cose piú semplici, gliele complicava. Mai una domanda. Mai un moto di curiosità verso la sua famiglia. Mai un segno di gelosia. Sembrava che non volesse piú di quanto lui fosse disposto a darle. Che il desiderio di un futuro con lui non la riguardasse per niente. E non è che avesse dato dei limiti in partenza, discorsi con l'incipit del tipo mettiamo le cose in chiaro o bada però che. Lo aveva accolto nella sua vita senza riserve. Non gli aveva chiesto rinunce. Gli aveva aperto la casa, l'ufficio, perfino le carte del lavoro. Un altro, al posto suo, e soprattutto lui stesso, pensava, avrebbe fatto i salti di gioia. Invece Livio si sentiva privato di una cosa importante. Ad ogni incontro con lei si accorgeva di dipendere un altro po' dalla sua bocca chiusa, da quel secondo posto accettato con tanta naturalezza. Come se la certezza che l'assetto della sua vita non fosse minacciato da Dorina, invece di rassicurarlo, gli mettesse dentro l'inquietudine. Quante volte, nel salutarla per andarsene, la guardava cercandole uno straccio di rancore. Quanto avrebbe dato per un'alzata di sopracciglia, una smorfia da niente. Per non sentirsi addosso quella ridicola infelicità.

Una volta che Dorina usciva dalla doccia e si avvolgeva nell'accappatoio, Livio dal letto trovò il coraggio di dirle che non si conoscevano affatto e non si sarebbero mai conosciuti davvero fino a quando lei non lo avesse voluto. Dorina si strofinò la bocca con la manica. Livio pensò che si sarebbe data un'asciugatura di massima, o almeno raccolta i capelli ancora zuppi nel cappuccio, prima di occuparsi della sua osservazione. Invece Dorina uscí subito dal bagno, come fosse stato piú urgente rispondere che curarsi del corpo grondante che le allagava il pavimento.

– A che serve sapere tutto dell'altro? Guarda che nessuno è un gran che, una volta che lo conosci.

Soltanto allora si fermò per tamponarsi il corpo con l'accappatoio. Due, tre volte. Poi continuò.

– Comunque non voglio impedirtelo, – disse riprendendo ad asciugarsi come si fosse trattato di un argomento fra tanti. – Io sono quello che vedi. Se c'è qualcosa che vuoi chiedermi, che ti sembra che non ti abbia detto, fallo.

Livio fu inchiodato sul letto da un senso freddo di
vergogna e pochezza. Intorno tutto si era fermato. Le
parole di Dorina rintoccavano ancora, sovrapponen-
dosi, nella stanza rimasta in silenzio ad aspettare la domanda che non veniva. Livio pensò a un passante qualsiasi che in quel preciso momento – erano le tre e un
quarto del pomeriggio – attraversava lentamente, quasi sfrontatamente la strada che univa i due corsi principali della città nel punto piú pericoloso, e desiderò
essere lui.

Continuò a guardarla, completamente inutile sul letto che lo ospitava, mentre lei si rivestiva come se non
fosse successo niente, e si accorse, con spaventosa sem-
plicità, che non aveva niente da chiederle.

Specialmente di sabato e domenica, i giorni dedicati alla sua famiglia, Livio aveva un'impressione ricorrente. Fra Martina che lo tirava verso la sua camera per fare insieme qualche nuovo gioco e Laura che apriva e chiudeva continuamente il forno mandando per casa qualche buon odore mai sentito (voleva farsi perdonare la dedizione alla tesi?), si scopriva a pensare che la vita di Dorina stesse proseguendo benissimo senza di lui. E benché cercasse in tutti i modi di trascurarla, quell'idea, simile piú a una convinzione che a un sospetto, prendeva posto dentro di lui come un disturbo che gli affaticava la respirazione.

Certo era difficile ammettere di trovarsi dalla parte sbagliata di una situazione capovolta. Andare in cerca della solitudine di Dorina per consolarsi della sua mancanza e sentire che il pensiero di lei non ricambiava il dolore. Per quanto grottesco gli sembrasse, si accorgeva di essere lui a soffrire. Lui, felice e fortunato, circondato da una compagna e una bambina da raccontare, che non trovava pace all'idea che la donna per cui mentiva rispettasse cosí serenamente la sua vita.

Dorina sapeva benissimo dove lui fosse in quel momento. Le sarebbe bastato il puzzle di Mordillo che aveva comprato dal cartolaio di fronte all'agenzia per immaginarselo in camera di Martina, magari con il cardigan della febbre, seduto sul tappeto a comporre la figura con lei, per sentirsi un'estranea, un'infelice che abitava dall'altra parte del muro di una vita che aveva

sempre sognato. E invece Livio avrebbe scommesso
una somma che la prospettiva di quella o di una qualsiasi altra scena che avesse implicato un confronto fra
le loro vite non le avrebbe fatto nessun male.

Chissà che sta facendo, si domandava Livio. Che cosa si è preparata per pranzo. Come passerà la giornata.
Poi, quando si accorgeva di riuscire a prevedere i suoi
spostamenti e le sue preferenze, diceva a se stesso
«Però la conosco», e si sentiva un po' meglio. Gli mancava la sua casa, lo spazio esagerato tra un mobile e l'altro, i suoi pavimenti di finto cotto che raccoglievano il
sole a chiazze e sembravano tanti bei dolci alla casta-
gna ricoperti di quella glassa che luccica nelle vetrine
delle pasticcerie.

A pensarci si sentiva ridicolo: invidiare il pavimento di una donna sola in casa di domenica, il piú misero
dei giorni, mentre l'uomo che amava era con la sua famiglia. Provò a immaginare di raccontarlo a qualcuno.
Prima i soliti. «Ma come, un colpo di culo del genere
e ti lamenti?» gli avrebbero detto quasi in coro. E poi
occhiate di compassione e di incredula sufficienza.
Commiserò l'ovvietà della risposta e passò oltre. Chissà da dove sbucò la faccia di Manrico Ceri. Non si ve-
devano da anni, eppure adesso non lo avrebbe detto a
nessun altro che a lui.

«Sai, mi è successa una cosa».

Quello gli avrebbe subito risposto: «Ho capito, una
donna».

«Eh già».

«Tua moglie lo sa?»

«No».

«Hai paura che glielo dica?»

«Noo, è proprio questo il fatto. Lei mi vuole cosí come sono, con Laura, la bambina e tutto il resto. Non
mi chiede niente, non vuole niente. Eppure è innamo-
rata di me, lo so».

E qui la conversazione si sarebbe interrotta, perché
Manrico Ceri era piú intelligente degli altri. Si sarebbe limitato al silenzio, o a un piccolo sospiro; oppure

avrebbe tirato fuori le sigarette e gliene avrebbe offerta una: qualcosa, insomma, per dirgli che aveva preso sul serio la faccenda, comunicando la sua disponibilità ad accettare, anche se in quel momento gli veniva difficile, che la condizione di Livio aveva una sua logica e si poteva comprendere.

Quando la mancanza di lei si faceva insistente, prendeva il telefono e la chiamava. Non per sentire la sua voce, ma per rubarle un po' di casa. Il telefono fa entrare, trasmette il senso degli ambienti. Livio la lasciava rispondere e teneva il respiro finché Dorina si stancava del silenzio. Sapeva bene che avrebbe sospettato di lui, ma meglio cosí che parlarle, correndo il rischio che capisse in che stato era. Per ignobile che fosse, la telefonata anonima lasciava aperta una via di scampo. Dorina ripeteva «Pronto» due volte (la seconda molto piú chiaramente, come se il primo silenzio non l'avesse convinta), aspettava qualche secondo e attaccava. La sua voce era intatta, limpida come sempre.

Perché non pensava a lui? Perché non soffriva? Possibile che non le importasse se aveva una moglie, una figlia, un'altra vita che le faceva concorrenza? Era sincera, oppure mentiva? Perché quel nessun interesse verso la sua condizione di uomo sposato? Sembrava quasi una mancanza di rispetto.

La domenica di Livio finiva sul balcone, l'ultimo degli espedienti. Se gli fosse rimasto addosso un poco di odore di lei, all'aria aperta lo avrebbe trovato di sicuro. Come avrebbe voluto ricordare qualcosa di nuovo. Una parola diversa, un episodio, un dettaglio. Fosse almeno riuscito a tenerla ferma. Ormai conosceva tutto di lei, anche i graffi sulle mani, eppure quando la cercava col pensiero non c'era verso di prenderla. Era come quei personaggi dei sogni che ti dicono due o tre parole alludendo a una verità che ti riguarda, e quando ti avvicini per sapere si allontanano appena, ma abbastanza per non lasciarsi raggiungere.

Piú Livio si sforzava di andarle dietro piú lei scap-

pava, tanto che a momenti gli sembrava di non ricor-
darne nemmeno la faccia. Allora l'impossibilità di rag-
giungerla diventava angoscia. L'attimo che segue il momento in cui ci si lascia. Le spalle si abbassano, il corpo chiede di seguirlo mentre si piega. Giú, giú. Lei non
ti riguarda, tu non c'entri piú, non hai piú nessun diritto di sapere e tanto meno di chiedere. Vedi che intorno c'è ancora un presente, le cose continuano a esi-
stere e pensi che devi trovare la maniera di andarci dietro. D'ora in poi lei sarà sempre da un'altra parte.
Comincia ad abituarti.

No, non era cosí, che stava dicendo? Si erano salutati l'altro giorno, cosí dolcemente. Dorina era piena
d'amore per lui; domani, appena si fossero rivisti, glielo avrebbe dato ancora, tutto quanto.

– Papà, ma che stai facendo là fuori? Vieni che ti
raffreddi.

Livio e Dorina stavano sdraiati uno vicino all'altra, senza toccarsi. Tenevano gli occhi chiusi, il sonno li aveva presi a metà. Lei di piú.

A un certo punto Livio sentí dietro la testa, appena appena ovattata, una musica familiare. E prima ancora di ricordarsela, riconobbe la sigla del Tg3. Il televisore doveva essere proprio in corrispondenza della spalliera del letto, dall'altra parte del muro. Scattò in piedi. Neanche guardò l'orologio. Afferrò camicia e cravatta, si sedette di nuovo sul letto e cominciò a rivestirsi. Fece tutt'e due le cose insieme, guadagnando un bottone a ogni giro del nodo alla cravatta. Il materasso sobbalzava continuamente. Dorina si alzò e cambiò stanza. Livio finí di prepararsi in pochi minuti.

– Scusa se me ne vado di corsa, – disse all'imbocco del corridoio. Lei non rispose. Livio se ne accorse davanti alla porta. Si fermò. Tornò indietro. La cercò. Era in cucina.

– Perché non rispondi? Ti ho fatto dispiacere?

– No, – disse lei a bassa voce. E si avviò verso la dispensa.

In quel momento Livio si incantò. Gli occhi si fissarono su una spalla di lei. Prima che Dorina riprendesse a parlare, Livio pensò tante cose insieme. Passò giusto un attimo. Bastò per contenerle tutte.

Dorina aprí lo sportello piú alto della dispensa. Con la punta del dito diede un piccolo colpo al beccuccio della caffettiera, come per tirare un grilletto. Quella

perse l'equilibrio e cadde lentamente in avanti, affi-
dandosi all'altra mano di lei, già pronta a raccoglierla.
Le sue braccia erano appena appena gonfie, ancora tenere di sonno. Aveva un cardigan verde acqua, di lana
morbida e spessa, che la copriva fin quasi alle ginocchia e le scivolava addosso accompagnando ogni suo
movimento con un piccolo anticipo, i calzini e nient'altro. Lui invece era ancora accaldato dalla fretta, si sentiva la camicia storta dentro i pantaloni e la cravatta
che lo faceva respirare a fatica. Tutto quello che desi-
derava era restare lí con lei. Invidiava quella dispensa,
la caffettiera e tutti i mobili, le porte, i parati e i quadri che sarebbero rimasti lí, ora che lui se ne andava.
Potevano farlo insieme, il caffè. Lui era bravo a farlo
venire con la schiuma. E poi sdraiarsi sul divano. Parlare dei giorni. Lunedí scorso, martedí prossimo e lunedí l'altro ancora. Vivere con lei ogni giorno della settimana. Senza piú risparmiare. Senza piú un'altra casa
dove tornare. Poi lei si sarebbe alzata per mettere ordine nel materiale della prossima tesi. E lui sarebbe rimasto in soggiorno sapendo che lei era di là. E il programma in televisione gli sarebbe sembrato divorten-
te. E fuori la sera che arrivava. E la luce che si doveva
accendere. E la cena che avrebbero preparato con quello che c'era nella dispensa. E il bicchiere d'acqua sul
comodino. E lei che durante la notte si sarebbe svegliata e gli avrebbe chiesto me ne dài un po'. Livio de-
siderava cosí poco. Ma sapeva benissimo che doveva
andarsene. La giornata era finita, Laura e Martina lo
aspettavano a casa.

Fu allora che l'incantamento passò, e Dorina riprese da dove si era fermata. Livio non ricordava piú la
domanda.

– È che per risponderti avrei dovuto alzare la voce.
E appena mi sveglio non ne ho abbastanza.

Perché faceva cosí? Perché non gli dava nessun segno di collera? Era insopportabile tutta quella calma.
Un'altra volta lui aveva lo stesso male in corpo, mentre lei non faceva una piega. Eppure, diosanto, sareb-

be rimasta sola, quella sera come tutte le altre. Come faceva a essere cosí serena? Livio era di nuovo solo con la domanda che lo torturava da mesi mentre pensava a sé, a quanto si sentisse meschino all'idea di tornare a casa da una moglie e una figlia che lo aspettavano, e al paradosso, al ridicolo che c'era nell'infelicità di quella sua condizione.

– Allora ti chiamo in agenzia. O passo, – disse lui con la voce sopraffatta.

Dorina accese sotto il caffè.

Arrivato alla porta (adesso non andava piú di fretta), Livio realizzò improvvisamente che Dorina non gli aveva mai chiesto un seguito. Non era mai successo che lei gli domandasse se si sarebbero rivisti, a che ora, o dove. E risolse che probabilmente era quello il motivo per cui ogni fine mese portava a casa sua lo spazzolino e il dentifricio nuovi. Lo aveva sempre fatto, senza chiedersi perché fosse stato ogni volta cosí puntuale. A casa, se non ci pensava Laura, era capace di ricordarsene solo quando le setole si voltavano al contrario.

Uscí e chiuse la porta. Si fermò sul pianerottolo. La luce delle scale si spense.

Scese al buio.

Una mattina che Dorina lavorava a una ricerca bibliografica, entrò Livio in agenzia. La porta era aperta.

– Ciao, – lo salutò lei sorpresa.

Livio le andò incontro sorridendo e l'abbracciò alla vita. Non parlava.

– Che c'è, hai superato l'esame di guida? – disse lei ridacchiando mentre Livio, naso a naso, le mischiava il buonumore.

– Devo andare fuori per tre giorni. Un antiquario che conosco sta per chiudere, e prima di vendere a qualcun altro vuol proporre i pezzi migliori a me.

– Dev'essere lontano, se ti servono tre giorni.

– Visto? Ci credi anche tu. Allora non vado male come bugiardo.

Dorina fece scivolare le mani dalle spalle di Livio e andò sconsolatamente alla scrivania. Prese un blocco di fotocopie tenute insieme con un elastico, lo agitò a mezz'aria guardando nel vuoto con le labbra in dentro e lo ripose.

– Non posso venire con te. Devo consegnare questo lavoro entro sabato.

Tutta l'allegria che Livio si era portato appresso sparí immediatamente dalla stanza.

– Ma come, è la prima volta che possiamo stare insieme per un po'. L'ho fatto apposta per noi.

– Non mi dare la colpa. Non posso rimandare.

Livio trattenne la rabbia. Avrebbe voluto rinfacciarle il groppo che aveva dentro per causa sua, dirle di tutte le volte che si era torturato per la sua indifferenza, buttarsi contro quel silenzio insopportabile che lei usava per tenersi fuori dalla sua vita. E poi ancora, senza fermarsi, resta pure qua a lavorare per i figli di papà abituati a comprarsi tutto, anche la laurea, bel lavoro il tuo, proprio un servizio utile, e tu per questo dici di no a tre giorni con me. Tre giorni, non li abbiamo mai avuti tutti insieme. Non mi hai nemmeno chiesto dove ti volevo portare. Ho mentito a mia moglie per te. Non l'avevo mai fatto prima. E già, tu che ne sai. Quando mai hai chiesto di lei. Neanche di Martina ti importa niente. Non sai nemmeno quanti anni ha. Eppure è mia figlia, dovresti essere curiosa almeno di questo. Ma sai che ti dico, visto che le cose stanno cosí salutiamoci adesso che è meglio, siamo ancora in tempo, facciamolo subito prima di legarci ancora di piú, e poi io sono sposato, chi te lo fa fare, sei bella, sai quanti ne trovi meglio di me.

Cosí avrebbe voluto dirle. E alzare la voce. Magari sbattere qualche cosa. Possibilmente romperla. Rimase con la bocca chiusa a fissare la stampa incorniciata sulla parete.

A un tratto Dorina si illuminò.

– Ma scusa. Quand'è che devi essere di nuovo a casa?

– Domenica sera.

– E allora perché non restiamo qui?

– Qui dove?

– Qui da me. Mi porto il lavoro a casa. Cerco di metterci il meno possibile, magari traduco di sera, quando ti addormenti. Poi comunque avremmo tanto tempo per noi. Lo so che volevi andare fuori, che forse ti annoi all'idea di restare qui, ma davvero, se partiamo, anche se mi porto dietro i testi e i dizionari, non faccio piú niente.

Livio la guardò. La proposta di Dorina non faceva una piega. Si sentí spiazzato, derubato della collera. Cominciò a convincersi indipendentemente dalla sua volontà. Non era la luna di miele che pensava lui, ma

l'idea gli era piaciuta subito. Venerdí, sabato e domenica. Tre giorni interi con lei. A casa sua, in mezzo alle sue cose, quante volte aveva desiderato restare lí.
Che importava se non potevano andare fuori?

– Dài, non dire di no. L'importante è che stiamo
insieme, – andò sicura lei, con il buonsenso dalla sua
parte.

Livio sentí come un cinguettio stupido e benedetto
che entrava nella stanza. Era tornata l'allegria, la stessa che c'era prima. Tolse gli occhi dalla cornice, e le
sorrise. Che sensazione meravigliosa, avere fiducia in
lei. La cosa dentro non c'era piú, era guarito. Ma come ho potuto pensare di fare a meno di lei, sono proprio in malafede, meno male che non mi sono lasciato
andare ai nervi, e il suo silenzio, la sua indifferenza forse sono colpa mia, sono io che dovrei scegliere, in fondo un'altra vita posso ancora farmela, Laura soffrireb-
be ma poi capirebbe e so che non la perderei, abbiamo
una figlia, e anche per Martina non sarebbe la fine del
mondo, tanti bambini hanno i genitori separati e li ve-
dono solo quando è possibile e non per questo cresco-
no come degli infelici e poi Dorina le piacerebbe perché non dovrebbe piacerle e allora che dovrebbero dire gli orfani.

Dorina gli mise le braccia intorno al collo. Mentre
Livio la stringeva a sé, Dorina lo sentí riempirsi continuamente i polmoni d'aria, e le venne che la felicità è
una cosa che si respira, quando si crede di averla.

Livio uscí dall'ufficio con la voglia di correre. Avrebbe passato una giornata bellissima pensando a venerdí,
sabato e domenica mattina. Dorina lo accompagnò alla porta e lo guardò scomparire dietro l'angolo. Poi fece per tornare dentro. Allora incrociò Mario Santonicola sulla porta della lavanderia. Voleva salutarlo. Lui
le girò le spalle, e rientrò.

Dorina rimase un attimo sulla porta.

Poi si rimise al lavoro.

Quella sera, come sempre, Livio portò Martina a letto e la salutò, che il giorno dopo sarebbe partito presto. La bambina gli disse di guidare piano, aveva un po' il vizio di correre. Anche lui andò subito a coricarsi. Laura lo raggiunse che aveva già spento la luce. Mentre si spogliava nel buio per non disturbarlo, Livio pensò che se non fosse stato per la tesi avrebbe capito tutto.

Rimase sveglio a seguire il sonno di Laura e a domandarsi che fine avesse fatto l'attesa del giorno dopo. Adesso se ne stava rintanato nel suo letto, Laura a fianco e Martina di là, e gli sembrava di non desiderare altro. Sotto le coperte c'era un calore pruriginoso e consolante come quello della febbre che persuadeva il corpo a una sorta di piacevole vigliaccheria, quasi che la lontananza del giorno affondasse la stanza in una quiete stagnante, sospendendo tutto quanto era pensiero, fatica, necessità di risposte.

Lo svegliò la luce che si stendeva sul pavimento attraverso la porta aperta. Guardò l'orologio. Le cinque e quaranta. Il posto di Laura era vuoto. Si trascinò verso il comodino di lei per arrivare alla sveglia prima che suonasse. La trovò con la mano. Era già spenta. Dall'anticamera del bagno veniva il rumore soffocato del ferro da stiro. Sul comò la valigia mezza fatta. Fu un brutto momento.

Laura tornò a letto mentre lui faceva la doccia. Quando finí di prepararsi la ritrovò in cucina che versava il caffè. Gli costò molto disagio farlo, ma non poté impedirsi di ringraziarla. Prendi il caffè che si raffredda, disse Laura.

Si salutarono a bassa voce sul pianerottolo.

– Riccardo starà via per molto? – chiese Laura aggiustandogli il collo del soprabito.

– Non lo so, mi ha detto soltanto che andava fuori per una causa, – rispose lui guardando per terra.

– È stato gentile a metterti la casa a disposizione.

– Eh già.

– Ma ce la fate a incontrarvi prima che parte?

– Ah, spero proprio di sí, altrimenti non so come faccio a entrare.

– È vero, che scema.

– Beh, adesso vado, se no finisce che non arrivo piú in tempo.

– Mi raccomando non correre. E appena arrivi chiamami, se ti è possibile.

– E vai, con tutte 'ste raccomandazioni. Sembra che mi porti male.

– Oh, lo sai che ho paura dell'autostrada.

– Ho capito, ma se so che stai in ansia guido peggio.

– Sarei molto piú tranquilla se ti decidessi a farti il cellulare, una buona volta.

– Laure', che palle. Lo sai che non li posso vedere, quei cosi.

– Che palle tu, con 'sta mania di distinguerti sempre.

Livio non trovò la parola.

– Va be', almeno vai piano.

– D'accooordo.

Laura richiuse accompagnando lentamente la serratura. Livio sollevò con rispetto la valigia che gli aveva preparato e si avviò. Il senso di colpa lo accompagnò per le scale, e fin dentro la macchina.

Non si sarebbe dimenticato di portare un regalo a Martina.

Partí che i giornalai non avevano ancora tolto i quotidiani dai pacchi. Uscí dalla città, ci girò intorno e rientrò dall'altra parte. Erano le sei e mezza passate. Gli pareva di essere l'unico sveglio, tanto era il silenzio. Perfino la zona industriale sembrava non volesse saperne di cominciare. Le officine autorizzate delle macchine importanti, i capannoni dei rivenditori all'ingrosso, gli autocarri ancora fermi nelle aree di parcheggio, sembrava tutto addormentato. Alla fermata di un autobus, vicino a un distributore chiuso, una vecchia signora con l'ombrello aspettava.

Vide un piccolo bar lungo la strada deserta. Aveva un aspetto misero, però gli venne voglia di entrarci. Parcheggiò e scese dalla macchina. Davanti all'ingresso, due uomini vestiti da lavoro pesante si salutavano augurandosi buona giornata. Uno salí su un tre ruote

carico di bombole del gas e partí. Entrando, Livio incrociò l'altro e ne sentí l'alito di liquore.

Dentro, il bar era un po' meglio di come sembrava
dalla macchina. Appeso su una porta a due ante che dava in una saletta interna con i tavolini e il calcetto c'era
un grande specchio della birra del baffone, macchiato,
arrugginito agli angoli; l'immagine a decalco era venuta via in molti punti. Dietro il banco, una donna giovane, con gli occhi ancora gonfi di sonno ma molto lu-
cida, i gesti fermi e convinti di chi è ben abituato al lavoro. Doveva camminare su una pedana, perché i passi
rimbombavano. Dietro di lei c'era una lunga dispensa
a vetri scuri come un enorme armadio, da cui veniva,
a Livio sembrava, un odore di caramelle. Nell'angolo
della porta d'ingresso, vicino al telefono, addirittura
un flipper di quando Livio era ragazzo. Un bambino,
otto-dieci anni al massimo, non molto alto e scuro di
capelli, portava caffè e cappuccini nella sala interna.

Livio ordinò un caffè e si mise a osservare il bambino che nel frattempo tornava indietro con il vassoio
vuoto. Per un momento i loro sguardi si incontrarono,
e Livio stava per sorridergli, quando quello si interruppe bruscamente sui suoi passi come gli fosse venuto in mente qualcosa e si diresse verso il banco senza
minimamente badargli. Posò il vassoio, si sollevò sulle
punte e si mise a cercare qualcosa dall'altra parte con
la mano cieca. Spingendosi in avanti a perlustrare il retro del bancone costrinse il corpo a una torsione di mezzo tronco che lo affacciò direttamente su Livio, il quale a un paio di metri di distanza continuava a guardarlo. Metà del corpo schiacciava completamente il banco
mentre la mano continuava la ricerca, l'altra metà teneva l'equilibrio per tutte e due. La testa curva sulla
spalla. La bocca in dentro. Gli occhi indifferenti. La
barista, presa dalle tazzine e dalla macchina del caffè
che sbuffava, non provò nemmeno a chiedergli che cosa cercasse. Ma in quella sua passività verso lo sforzo,
sia pure modesto, che il bambino stava compiendo, non
c'era alcun cinismo; piuttosto una normale, impressio-

nante alterità fra compagni di lavoro; una vicinanza assente tra uguali, giustificata dalla differenza delle mansioni, dove ognuno è tenuto a occuparsi soltanto della propria parte di compito. Livio stava per offrirsi di aiutarlo quando il bambino finalmente tirò su dall'acquaio un panno umido e diede un sospiro. Poi guardò Livio che gli sorrideva compiaciuto, gli passò intorno come fosse stato un mobile e se ne andò a pulire la vetrina interna dei gelati con il panno.

Livio rimase sconcertato dalla disinvoltura con cui quel piccolo corpo portava la consapevolezza della sua sorte. C'era, nei suoi movimenti assimilati, nel suo modo di guardare o meglio di non guardare, una rassegnazione adulta, un disincanto che gli toglieva il bambino di dosso.

– È suo figlio? – domandò alla signora mentre gli metteva la tazzina davanti.

– No, – disse lei senza partecipazione. – Zucchero?

Arrivò da Dorina che il giorno era completamente venuto. Come entrò in casa trovò un'altra bella colazione che lo aspettava. Dorina si era fatta mandare i cornetti del fornaio, molto piú buoni di quelli di pasticceria. Lo accolse con dolcezza, indicandogli i cassetti che aveva liberato per lui.

Dopo i cornetti Livio andò in camera a sistemare le sue cose. Per la prima volta da quando stava con lei sentí la mancanza di Laura.

14.

La giornata si rivelò migliore di com'era iniziata, e prima che la mattina finisse Livio si accorse con sollievo che era felice di essere lí. Gli faceva ancora un po' male il ricordo del ferro da stiro mentre si svegliava e la vista dei suoi panni sistemati in valigia con tutta quella cura, ma la gioia della vicinanza di Dorina aveva cominciato a ritornare, mettendogli in bocca poco per volta l'acquolina del tempo che lo aspettava.

Lei poi si comportava in un modo. Sembrava una bambina entusiasta di ricevere a casa per la prima volta il compagno di banco. Se lo portava in giro per le stanze manco avesse dovuto mostrargli chissà quali segreti che solo lei conosceva, ed era molto brava a far trapelare appena l'intenzione di non svelare tutto fino in fondo, come per tenersi un po' di vantaggio per quando sarebbe cominciato il gioco.

Dorina era distesa sul solito fianco e si cingeva la vita con un braccio. Livio allungò la mano e le carezzò i capelli. Non era sicuro che fosse sveglia, ma provò ugualmente a parlarle.

– Dormi?

Lei tirò l'aria col naso e poi disse no.

– Forse è meglio se ci alziamo, – disse Livio portando la voce appena sotto il normale livello di conversazione.

– Ma che ore sono? – rispose lei a occhi chiusi, anche se l'iniziativa di Livio l'aveva già mezza strappata al torpore.

Livio si alzò a sedere e prese l'orologio dal comodino.

– Le undici.

– Lo prendi il caffè? – continuò, visto che lei non aveva aggiunto altro.

– Eh, quasi quasi.

– Allora rimani, te lo porto.

Dorina affondò la testa nel cuscino tutta contenta di non doversi alzare subito.

Livio si mise in piedi e fece per rivestirsi. Aveva appena raccolto la camicia dalla sedia quando Dorina uscí dal letto e lo interruppe.

– Aspettaspetta.

– Aspettare che?

Dorina aprí l'armadio, prese una busta e ne tirò fuori dei panni.

– Tieni, – disse, e glieli lanciò insieme. Sembravano due. Mentre gli volavano incontro nella penombra, a Livio sembrò di vedere una cordicella.

– E questa che è? – Sapeva benissimo di avere tra le mani una tuta da ginnastica.

– L'ho presa ieri al mercato, per te. Credo che la misura sia giusta. Non mi andava di vederti in giro per casa vestito come un ospite.

Lusingato, Livio se la infilò.

Andò a preparare il caffè. Lo fece con molta lentezza, concentrandosi sul pomeriggio in cui se n'era andato invidioso della caffettiera, e si sentí come quando da ragazzo il giorno prima dell'esame pensava chissà la prossima settimana questo stesso giorno come sarà bello pensare una settimana fa ero preoccupatissimo e adesso sono qui e ce l'ho fatta, ah che meraviglia, come stavo male allora. La tuta gli andava proprio bene, aveva pure il cappuccio. E poi gli era sempre piaciuto il grigio. Dorina lo raggiunse che stava cercando un vassoio.

– Perché ti sei alzata, te lo stavo portando.

– No, meglio che mi avvio, devo mettermi al lavoro. Livio le passò la tazzina.

– Dimmi la verità, davvero non ti dispiace? – chiese Dorina.

– No, eravamo d'accordo, non ti fare problemi per me, – rispose Livio accarezzandosi la tuta sulla pancia.

Dorina si avviò verso il soggiorno, dove l'aspettavano le carte e i libri già pronti sullo scrittoio. Livio andò in camera da letto a telefonare a Laura. Si mise seduto e compose il numero senza sapere quello che faceva. Non se ne accorse finché non sentí la sua voce dall'altra parte.

– Sí?

Fu preso cosí in contropiede che si sentí tentato di attaccare. Ma cavolo, chiudere il telefono a sua moglie?

– Laura, sono io.

– Ehi, sei arrivato! Tutto a posto? Com'è andato il viaggio?

(Una fitta qui, proprio all'inizio dello stomaco).

– Bene bene, nessuna difficoltà.

– Ma cos'è, non mi sentivi?

– No, tu non sentivi me. Va bene adesso?

– Sí, ti sento chiarissimo. Ma dove sei, già da Riccardo?

– No, sono nella cabina di una salumeria, pensa un po'.

(Ma tu guarda, come mi è venuto?)

– Nella cabina dove?

– Di una sa-lu-me-ri-a.

– Pffh.

– Che ti soffi?

– Solo tu potevi scegliere un posto del genere per telefonare.

– Eh già. Martina?

– A scuola, dove vuoi che sia. Com'è il tempo lí?

– Pòh. Credo...

– Come credo, non sai nemmeno che tempo fa?

– Dài, lo sai che non ci faccio mai caso.

– Hai già visto l'antiquario?

– Non ancora, te l'ho detto, abbiamo appuntamento all'una.

– Ah sí, è vero. Beh, fai buone cose allora.

– Speriamo.

– Senti.

– Dimmi.

– Se non trovi niente che ti convince davvero lascia stare. Non devi comprare solo perché sei arrivato fin là.

Laura rendeva tutto facile. Pure tradirla.

– Sí, hai ragione. Farò cosí.

– Ah, un'altra cosa.

– Dimmi.

– Ricordati che oggi vado all'università, non fare che chiami e ti preoccupi.

– No no, mi ricordavo. Ti porti Martina?

– Eh. Vedessi, è felice manco dovessimo andare sulle giostre.

– Dalle un bacetto.

– Va bene.

– Beh, adesso mi avvio. Ci sentiamo stasera.

– Va bene, telefona chi torna per primo. Saluta Riccardo.

– D'accordo, ciao.

Chiuse. Gli tornò in mente di quella volta che Martina, all'uscita di scuola, gli era andata incontro tutta impettita tenendo lo sguardo fisso davanti a sé e gli aveva detto andiamocene andiamocene non salutare la mamma di Gerardo. Lui aveva chiesto perché e lei gli aveva risposto poi ti spiego e se l'era trascinato appresso per un braccio.

Poi ti spiego. Una bambina di sette anni.

Fece il numero di Riccardo. Libero. Proprio un giorno fortunato.

– Studio legale Ruggia.

– Salve, posso parlare con l'avvocato?

– Lei è?

– Livio Manduca.

– Resti in linea.

Bip in coppia a intermittenza. Ne suonarono parecchi. Finalmente qualcuno sollevò. Livio parlò per primo.

– Ciao Ruggia, indovina chi è.

– Attenda attenda –. Era di nuovo la segretaria.

Altro bip. Il telefono tacque assolutamente, tra le mani sembrava una cosa morta. Poi dal niente saltò fuori chiarissima, quasi stereofonica, la voce di Riccardo Ruggia.

– Sí, pronto!

– Riccardo?

– Uei, ciao, ben arrivato! Fatto buon viaggio?

– Ah ah, spiritoso. Senti, mi dispiace davvero darti questo fastidio.

– Ma figurati, il trasferimento di chiamata. Fossero queste le beghe che mi prendo tutti i giorni.

– Lo so, comunque è una scocciatura.

– Hai ragione, conoscerti è stata prooprio una disgrazia.

– Senti, comunque tutto a posto? L'hai già messo?

– Come no. E che, mi dimenticavo? Fino a domenica, giusto?

– Eh.

– Hai visto. Piuttosto, guarda che naturalmente arriveranno delle telefonate per me al numero a cui mi hai detto di smistare.

– Gesú, è vero. Non ci avevo pensato. E che gli dico?

– Me li saluti, ah ah.

Livio si guardò intorno come per cercare degli occhi che partecipassero alla sua compassione.

– Io non lo so come fai a fare l'avvocato. Non riesci a dire due parole senza infilarci una cazzata in mezzo.

– Eh lo sai, il magistrato davanti a cui ho discusso ieri aveva tutta l'aria di pensarla come te.

Silenzio. Riccardo ridacchiava. Livio sorrideva.

– Sei gentilissimo, Ruggia. Ti devo un favore.

– Aah ti prego. Piuttosto. Non è che Laura prova a chiamarmi allo studio? Sai, qui ci devo essere per forza.

– No, no, stai tranquillo, queste cose non le fa.

– Che uomo fortunato. Comunque se devi dirmi qualcosa mi trovi qui fino alle otto, poi sul telefonino. Te l'ho dato il numero?

– Aspetta... sissí, ce l'ho.

– Tutto a posto allora?

– Direi di sí.

– Va bene, stai tranquillo e coperto. E divertiti.

– Vaffanculo, Riccardo.

– Anche tu, soprattutto tu. Appena non ti servo piú, avvertimi.

– Grazie ancora, ciao.

– Stai bene.

Uscí dalla stanza e raggiunse Dorina in soggiorno. Era alla sua piccola scrivania con un blocco di fogli pieno di cancellature davanti e due dizionari aperti a faccia in giú. Le arrivò alle spalle e si tenne con le mani sui pomelli della sedia.

– Come va?

– Benino. Finirò presto, non ti preoccupare.

– No, non dicevo per questo. Non ti sentire in colpa, va tutto bene.

– Davvero sei contento?

– Davvero, sto benissimo.

15

Dorina finí il lavoro secondo i calcoli, nella tarda mattinata del giorno dopo. Disse a Livio che nel pomeriggio sarebbe andata in ufficio ad aspettare il cliente che passava a ritirarlo. E siccome era possibile che quello volesse controllare insieme a lei alcuni passaggi della traduzione, o almeno dare una scorsa e farle qualche domanda, avrebbe finito per trattenersi un po'. Per correttezza aggiunse che ne avrebbe approfittato anche per riordinare delle carte e fare alcune telefonate. Pronosticò un paio d'ore al massimo. Gli domandò se aveva niente in contrario.

Livio ebbe una mossa d'esitazione, poi disse che non c'era neanche bisogno di chiedere. Lei un po' rimase. Si aspettava almeno un'alzata di spalle, un'occhiata al cielo o qualcosa di simile.

Dentro di sé, Livio aveva fatto un salto. Sarebbe rimasto da solo in casa. Pregustava già il piacere di scorrazzare da tutte le parti senza che lei lo sapesse. Avrebbe potuto toccare tutte le sue cose, mettere il naso nei suoi indumenti, togliere i cassetti dai mobili per violarli meglio, leggere la sua rubrica dal primo all'ultimo numero. Avrebbe guardato in ogni posto, avrebbe scoperto qualcosa di lei, almeno una, che Dorina non voleva fargli sapere. Ah, che sensazione piacevole l'attesa di quella cosa un po' sporca. Era pieno di progetti. Da che parte avrebbe cominciato?

Dorina uscí di casa poco dopo le quattro. Si portò

dietro le chiavi. Livio rimase nell'ingresso con il solletico nella schiena finché sentí le porte dell'ascensore
chiudersi al pianoterra. Allora andò alla finestra, e da
dietro le tende la seguí mentre si allontanava per la strada. Aspettò un quarto d'ora, piú o meno. Poi cominciò. Fece prima un giro d'insieme, senza toccare niente. C'era molto silenzio, da fuori non entrava nessun
rumore. Andò in camera da letto e aprí l'armadio. Poche cose, Dorina non aveva molto. Le teneva in un ordine scarno, facile da fare e disfare. Sorrise. Somigliava al suo ufficio. Sembrava che Dorina si mettesse
d'impegno a ridurre tutto al minimo.

Sul pavimento dell'armadio c'era una borsa da pas-
seggio che non le aveva mai visto. C'erano dei soldi,
quattro o cinque banconote da cinquanta e da dieci, se-
parate fra loro; la patente e il suo codice fiscale; una
matita per gli occhi e poi un sacchetto di seta rossa le-
gato all'estremità con un piccolo laccio. Livio pensò a
un anello, invece era un Rolex. Vecchio, sapeva di non-
no. Certamente autentico, un'imitazione non poteva
avere tanto fascino. Se lo mise al polso e andò a guardarsi allo specchio. Aprí la seconda anta dell'armadio,
quella dove aveva messo i suoi panni. Oltre a quelli
c'erano due pile di asciugamani di misura diversa e un
accappatoio ripiegato in un involucro di plastica tra-
sparente. Guardò soltanto, e chiuse. Si voltò verso il
cassettone. Prima che Dorina se ne andasse aveva pensato a lungo a come avrebbe dovuto aprirlo, svuotarlo
e rimetterlo a posto in modo che lei non si accorgesse
di niente. Sentí qualcosa come la sazietà al secondo
boccone. Non lo aprí.

Andò in soggiorno a vergognarsi. Non tanto del fatto in sé di aver frugato in casa di lei (questo, in parte,
lo faceva anche ridere), ma perché si rendeva conto di
aver fatto una cosa assolutamente inutile. Non c'era
proprio niente da scoprire, tanto meno di nascosto. Dorina era una persona limpida, Livio sapeva esattamente dove cominciava e finiva. E in fondo era proprio
questo che non mandava giú. Quella donna era sua, ep-

pure non riusciva ad averla. Si trovò di nuovo con quella cosa per traverso. Questa volta, però, aveva fatto
tutto da solo.

Vide la rubrica di Dorina accanto al telefono, e volle toccare il fondo. La prese e cominciò a leggerla, facendo avanti e indietro nel corridoio. Era fra la stanza
da letto e la cucina quando sentí l'ascensore che si chiudeva al suo piano. Possibile che fosse già lei? Tornò indietro per posare la rubrica, e si accorse solo allora di
avere ancora il Rolex al polso. Corse in camera da letto, aprí l'armadio e buttò l'orologio nella borsa. Non
c'era tempo di rimetterlo nel sacchetto. A proposito,
dove aveva messo il sacchetto.

Sentí delle voci quasi dentro casa. Fece per correre
in bagno. Si fermò sulla porta della stanza da letto.

Aveva sentito chiudere la porta accanto.

Ritrovò il sacchetto e mise l'orologio a posto. Andò
in cucina. Riempí la macchinetta del caffè, la posò sul
fornello. Si sedette e aspettò. Si incantava in continuazione, tanto si sentiva ridicolo. Improvvisamente
si accorse che un metro sopra il frigorifero c'era una
mensola fissata al muro. Sembrava piuttosto profonda.
Si avvicinò senza convinzione, e la osservò dal basso.
Fece qualche passo indietro per guardarci sopra. Troppo alto. Cominciò a essere curioso. Usò la sedia. Per
infilare la mano sulla mensola dovette sollevarsi sulle
punte. Istintivamente girava la testa dall'altra parte.
La mensola era piena di polvere. Toccò qualcosa. Dei
foglietti. Li prese. Erano ricevute. Le lesse, comunque.
Spinse di nuovo la mano. Un'altra cosa. Un libro, forse, o un giornale. Ma che sto facendo. Lo tirò giú dalla mensola. Ricette. Aprí il libro e lo sfogliò appena.
La polvere gli arrivò in bocca. Si strofinò con la manica del maglione. Rimise sopra il ricettario e continuò.
A destra. Le bollette, già viste. Sinistra. C'è ancora
spazio. Altra polvere. Com'è viscida sotto le dita. Ormai la mano è uno schifo, andiamo avanti. Sentí come
uno scalino che gli impediva di continuare. Un altro libro, piú spesso del primo. Ancora ricette? No, la rile-

gatura era troppo pesante. Il dorso arrotondato. Sapeva di vecchio, di molto vecchio. Un album di fotografie, ma sí.

Lo tirò giú quasi strappando. Caddero altre bollette, il tappo di una bic e dei ciuffi di polvere. Restò in
piedi sulla sedia, a spolverare la copertina. La macchinetta schizzò fuori il caffè.

Posò l'album sulla tavola. Zuccherò il caffè e lo bevve lentamente. Dorina piccola. I genitori, i fratelli. Gli
amici. Qualche ex che non era riuscita a buttare. Stava per conoscerli. Andò al telefono. Fece il numero
dell'agenzia di Dorina. Lei rispose al secondo squillo.
Attaccò. Prese l'album e andò a sedersi sul divano. Lo
aprí. Il foglio di carta velina che proteggeva la prima
pagina si girò insieme alla copertina. C'era una sola foto, vecchia e sbucciata, che faceva le pieghe agli angoli. Un matrimonio. Erano tutti e due molto giovani.
Lei non sorrideva. Si aggrappava al braccio di lui e gli
consegnava la sua vita. Lui aveva già preso il comando. Un figlio, subito. Entro l'anno.

Voltò pagina. Ancora una foto. Una sola, una car-
tolina. Piú recente dell'altra. Un salotto col camino.
Casa di campagna. Nessuna persona. In un angolo un
girello. Girò ancora. La pagina era vuota. Le foto erano state tolte, c'era ancora il segno. Lo strato di colla
si era scurito fino a dare un'impressione di verde muf-
fa. La velina aveva smesso di attaccare. Girò ancora.
La stessa cosa. Girò ancora. Vuota anche quella. Girò
ancora.

Vuota.

Vuota.

Vuota.

Non c'era piú niente.

In ogni pagina i contorni delle foto portate via.

Tornò alla prima, quella del matrimonio. Gli sembrò che la sposa avesse gli occhi di lei. La guardò ancora. Si era sbagliato. Chiuse l'album. Lo posò accanto a sé. Alzò la testa e fissò un angolo del soffitto.

Sperò di dimenticare presto quel pomeriggio.

16.

Dorina aveva fatto la strada di casa con il desiderio di rivederlo, eppure come aprí la porta sentí qualcosa dentro che diceva di no. Posò il soprabito, la borsa e il pacchetto e si affacciò nel corridoio. Livio era in camera da letto. Era tutto spento. L'unica luce, quella della televisione, veniva di là. Macchie di chiarore diverso che partivano a intermittenza dal buio della camera, finivano sulla parete del corridoio e venivano risucchiate dalla luce dell'immagine successiva.

Dorina stava appoggiata al muro cercando di ammansire l'impressione nemica che l'aveva presa al rientro, quando Livio diede un colpo di tosse, e per lei fu come una manopola che si svitava. Un sentimento gratuito, maggiore di lei, una persuasione assoluta di tutto l'essere, una disponibilità completa e senza riserve le andò in salvo. Sí, lo sapeva benissimo cos'era, che importava quanto sarebbe durato e come l'avrebbe ridotta, era tornato a trovarla e veniva giú a secchiate.

Si affacciò nella stanza assecondando, per assurda che fosse, un'improvvisa paura di non trovarcelo. Stava lí, mezzo sdraiato sul letto, in camicia e pantaloni, con il telecomando nella mano assente. Le venne una stretta al cuore a vederlo cosí sprecato.

– Ciao, – gli disse.

Livio ebbe un piccolo sussulto.

– Oh, ciao. Non ti avevo sentito.

Dorina accese la luce sul comodino per non ferirgli

gli occhi. Andò a sedersi accanto a lui, gli levò il telecomando dalla mano e gliela coprí con la sua.

– Che c'è, è successo qualcosa? – domandò Livio.

– No perché? – rispose lei nascondendo.

– A me lo chiedi. Mi eri sembrata strana.

– Chi, io? Sono cosí contenta che sei qui.

Livio abbassò il volume del televisore e, come sempre quando una cosa gli dava gioia, cambiò discorso.

– Tutto bene il tuo cliente?

– Sí. Sembra soddisfatto.

– E volevo vedere, ti ha rovinato il sabato.

– Mi dispiace di non essere riuscita a sbrigarmi prima, – incassò lei.

– Ebbè, che vuoi farci.

– Di' la verità, ti sei annoiato.

– Ma no. Poi sono pure sceso, una mezz'ora.

– Ah. Non avevi paura di incontrare qualcuno?

Livio, che intanto si era fatto prendere di nuovo dalla televisione, spostò piano lo sguardo su di lei e la fissò
profondamente per un attimo. Ebbe voglia di dirle com'è
che tutt'a un tratto t'importa della mia vita, ti preoccupi forse della mia famiglia, di mia moglie, della mia bambina? Guarda un po' la novità. Non sarà perché sono
quattro ore che ti aspetto come uno stronzo da solo in casa? Grazie comunque di essertene ricordata, ma non dovevi disturbarti, sai com'è, queste cose possono sfuggire.

– Sono stato attento, – rispose. – Poi ho fatto giusto un giro qui intorno.

Rattrappí le dita dei piedi nelle scarpe. Perché co-
nigliava in quel modo? Non vuoi dirglielo e va bene,
ma addirittura giustificarti.

Dorina batté le mani una volta.

– Ho una sorpresa, – disse, e uscí dalla stanza.

Tornò qualche secondo dopo con un vassoio di pasticceria, s'inginocchiò sul letto accanto a lui e glielo
offrí. Una scena, una di quelle immagini che s'incolla-
no alla memoria per tutta la vita. Livio la scompose in
due o tre fotogrammi, e mentre succedeva capí che non
l'avrebbe dimenticata mai piú.

– Dài apri, – disse Dorina.

Livio slacciò il nastro e divaricò la carta. Era azzurra, il pasticciere si chiamava Benefico. C'erano dodici meringhe, in quattro file da tre. La bocca gli diventò un sorriso senza che lo volesse. Se qualcuno gli avesse detto ma non eri in collera un minuto fa, lui avrebbe risposto chi, io?

– Le mangiamo subito? – chiese.

– Se ne hai proprio voglia.

– Perché, dobbiamo aspettare qualcosa?

Dorina si alzò, aprí l'armadio, tirò fuori un maglione e glielo lanciò.

– Vieni con me, – disse, e andò verso la porta.

– Ma dove andiamo? – domandò Livio alzandosi, non troppo sicuro di volerla seguire.

– Prendi le meringhe, – fece lei, e lo convinse.

Le andò dietro per il corridoio fino all'ingresso.

– Insomma, si può sapere?

Lei aprí la porta, uscí sul pianerottolo e chiamò l'ascensore. – Vieni, dài.

Livio ubbidí controvoglia.

– Almeno le hai prese le chiavi di casa? – domandò con le mani impicciate.

– Sí sí chiudi, ce le ho.

Uscí e tirò la porta con il piede. Arrivò l'ascensore. Entrarono. Livio la lasciò chiudere gli scorrevoli e schiacciare il pulsante che voleva.

– Va bene, adesso però mi spieghi.

– Ti porto sul terrazzo, – fece lei.

– Sul terrazzo? A fare?

– A vedere i tetti, – rispose Dorina.

– Ma è buio.

– Perciò.

Arrivarono all'attico. Dorina lo fece uscire per primo, che teneva ancora lui le meringhe, e chiuse l'ascensore. Livio guardò nella tromba delle scale. Certo che era alto, il palazzo. C'erano due porte di ferro, da una veniva un rumore continuo di corrente inserita. Dorina tirò fuori di tasca un mazzo di chia-

vi e aprí l'altra. – Attento alla testa, – disse, e uscí per
prima.

Il terrazzo era molto ampio, un rettangolo grigio circondato da un muretto alto poco meno di un metro ma
abbastanza profondo, praticamente impossibile spor-
gersi e ancor piú cadere, a meno di farlo apposta. Lungo il perimetro qualche macchia di catrame rinsecchi-
to. In un angolo una bicicletta senza piú il manubrio e
un gommone sgonfio. La luna era debole, ma bastava.
Il cielo aveva un colore limpido e denso che si poteva
stendere con le mani. Il maglione non serviva, non ancora, almeno. Livio sentí il bisogno di camminare, forse per il troppo spazio, ma dopo qualche passo dovette fermarsi. Nell'aria c'era come un'ispirazione che di-
sorientava i pensieri e tratteneva i movimenti. Cercò
Dorina. Si era affacciata al muretto. La raggiunse con
le meringhe. All'inizio non badò alla città. Voltò addirittura le spalle e si guardò intorno cercando un posto
dove sistemare il vassoio per impedire che quel poco di
vento lo facesse capovolgere. Quando finalmente con-
cluse che l'unica era tenerselo vicino usando la mano
come fermacarte, si accorse definitivamente del paesaggio che aveva di fronte. E quasi non riuscí a capa-
citarsi che potesse piacergli tanto. Quelle finestre accese che a migliaia offrivano la loro intimità, quella distesa di tetti, di balconi, di insegne, di lampioni in fila,
di fanali che s'inseguivano nelle strade in lontananza
(è via Crispi quella? ma come, non dovrebbe andare di
là?), tutto luccicava insieme dando l'impressione del
ritmo, del palpito, della respirazione, quasi che la terra si fosse sdraiata per la stanchezza e tirata la città addosso per coperta. E lui che voleva portarla al ristorante.

Dorina prese una meringa, la spezzò con le mani e
gli offrí la metà migliore. – Guarda quelli laggiú, – gli
disse indicando delle persone ben vestite che andavano avanti e indietro in un salotto; doveva essere una
cena in piedi, o qualcosa del genere. – Non sembrano
dei pesci in un acquario? – Livio fece sí sí con la testa

mentre masticava e pensò ma guarda come ci sta bene il sapore della meringa. E in quello stesso momento si accorse che con lei a fianco e quel paesaggio davanti non era piú capace di un pensiero ordinato. Dorina, triste per nessuna ragione particolare, si appoggiò a lui di schiena.

– Ti ricordi? – gli disse, mentre lui la circondava con le braccia. Livio stava per rispondere «Cosa?», poi capí e tacque.

Rimasero abbracciati cercando di guardare le stesse cose. Ogni tanto Livio buttava l'occhio al vassoio. Dorina stava con gli occhi chiusi quando sentí scendere le mani di lui verso i seni. Ci vollero due o tre tappe, si vergognava. Dorina alzò le braccia e gli prese la nuca. Lui si riempí meglio le mani e strinse un po'. Dorina tirò l'aria. Livio le affondò la bocca tra il collo e la spalla. Dorina si voltò. Livio tolse le mani. Lei gli sbottonò la camicia partendo dal bottone piú in basso. Poi infilò le mani sotto la stoffa e allargò i due lembi scoprendogli completamente il torace. Gli percorse la pelle nuda una volta con tutte e due le mani e un'altra con il dorso di una sola. Livio provò ad abbracciarla. Lei si fece appena indietro. Si levò il maglione, lo legò in vita. Lui non riusciva piú a toccarla, poteva soltanto aspettare. Dorina non aveva che una maglietta di cotone. Se la tirò su fino al mento e scoprí il seno. Livio voleva toccarla. Lei lo prese per i fianchi e lo tirò a sé. Poi gli strinse le braccia intorno al collo. Lui sentí i suoi capezzoli che gli affondavano nella pelle mentre il calore incollava. Le restituí l'abbraccio. Rimasero schiacciati uno all'altro, con la città accesa tutt'intorno.

17

L'albero di Natale occupava l'ingresso già da una settimana. Ormai la data era sicura, Laura avrebbe discusso la tesi a giugno. Martina non aveva voluto sentire ragioni, pretendeva che mamma si festeggiasse cosí. All'inizio Livio aveva cercato di farle cambiare idea. Ma come, l'albero di Natale a metà maggio. Poi c'era andato ripensando, e si era convinto anche lui. In fondo gli sembrava una bella trovata vestire la casa per l'occasione. Era cosí divertente vedere l'albero in quel periodo dell'anno.

Laura aveva scoperto per caso di essere stata inserita nell'elenco dei laureandi di quella sessione. Era passata all'università, aveva incontrato Bice Benarrivo nel corridoio di Scienze politiche e si era trattenuta un po' con lei. Avevano parlato di tutt'altro per un ventina di minuti, poi al momento di salutarsi quella le aveva detto a proposito auguri, auguri di che aveva chiesto lei, e Bice aveva risposto come, insomma finí che dovette portarla a vedere con i suoi occhi.

Nessun'altra sensazione che Laura avrebbe provato in seguito le sarebbe rimasta piú impressa di quella che la colse quel giorno all'università, davanti alla bacheca dei laureandi. Non riusciva a credere che il nome messo in bella mostra tra Federici Maria Ida e Desiderio Filippo fosse suo. Non le sembrava neanche un nome, ma due parole che significavano qualche altra cosa. E poi quel titolo subito dopo, *Huckleberry Finn: un libro per soli adulti*. Come tutti gli altri sembravano poveri d'interesse, al confronto. No, impossibile che si trattasse di lei. Cominciò a non riconoscere nemmeno le lettere. Fece una gran fatica con la d, presa dal dubbio che dovesse stare girata dall'altra parte.

Si precipitò a chiamare il relatore. Mentre cercava la carta telefonica e la rubrica nella borsa le tremavano le mani e pensava see, figurati se lo trovo. Invece dopo due squilli le rispose, proprio lui in persona, la riconobbe appena lei disse buongiorno e le domandò addirittura come stava. Laura non se l'aspettava proprio, il cuore cominciò ad andare in centrifuga, una volta sola l'aveva chiamato prima di allora e lui le aveva detto ma chi le ha dato il mio numero, ma come professore me l'ha dato lei non si ricorda, la tesi, e lui le aveva risposto senta si faccia un favore non mi ripeta il suo nome cosí me lo dimentico meglio, sa com'è di carattere sono un po' vendicativo, il mio telefono non ce l'ha il mio editore si figuri i laureandi, se ha bisogno di me vada in istituto e si segni gli orari di ricevimento e aveva messo giú, Laura c'era rimasta cosí male che aveva addirittura pensato di cambiare docente, va be' che da allora erano passati diversi mesi, però.

Bene grazie, gli aveva risposto, ed era venuta subito all'argomento, professore ecco, veramente, aveva detto, all'inizio la voce tremava piú delle mani poi riuscí ad assestarla, sono appena stata in segreteria e ho visto la bacheca, non sapevo neanche di dovermi laureare a giugno poteva dirmelo. Credevo di farle un favore, rispose lui con tutta calma, l'elenco doveva essere registrato e affisso entro stamattina e se non l'avessi inserita avrebbe saltato la sessione. Comunque l'avrei informata. Visto che lo sa già siamo a posto. Ma ecco io, però, voleva continuare Laura quando lui la interruppe che sembrò uscire dal telefono e guardarla fisso negli occhi, mi faccia capire bene, sembra che le dispiaccia, forse non vuole, allora lei si sentí spegnere, proprio cosí, spegnere, oh dio non poteva essere un'altra, per esempio quella ragazza che arrivava in quel momento tutta di fretta sicuramente aveva fatto tardi a lezione oppure la scala antincendio che le passava proprio sulla testa o l'insegna della biblioteca che si vedeva in lontananza ah come le sarebbe piaciuto essere a letto sotto le coperte in quel momento però fortunatamente si riprese subito e rispose come non v... nonononò, proprio cosí cinque volte di fila, ma che scherza professore figuriamoci è solo che non ho ancora finito, mi servirebbe ancora un po' di tempo non mi aspettavo proprio di dovermi laureare tanto presto, allora lui aveva detto soltanto (santo cielo com'era convincente, ogni parola era una verità incontestabile, possibile che gli venisse cosí naturale aver ragione mentre per lei ogni volta che apriva bocca era una salita) se l'ho messa in quella sessione so quello che faccio, stia bene *Laura* e la lasciò senza piú una parola, praticamente la mise in condizione di dire va bene professore mi scusi grazie arrivederci e le augurò addirittura buona domenica.

Cose da non credere. Un segno di fiducia dopo l'altro. Avrebbe dovuto esserne fiera. L'aveva chiamata per nome, stia bene Laura aveva detto, uno spostato come lui, chi le avrebbe creduto se l'avesse raccontato in giro. Avrebbe dovuto lasciare lí la macchina e tornare a casa zompettando, invece attaccò come le avesse detto guardi non c'è niente da fare lasci perdere lei è una fallita non si laureerà né a questa sessione né alla prossima né mai.

Da quella mattina ci aveva dato cosí dentro che Livio aveva quasi imparato a cucinare. Non ce la faccio non ce la faccio, ripeteva andando su e giú per la casa quando si alzava dalla scrivania. Ma dài, le diceva Livio, vedrai che andrà tutto bene, che era scemo il professore a metterti lui nell'elenco se non era sicuro che ce la facevi. E grazie, rispondeva Laura (ma un po' si vedeva che era contenta), non si deve mica laureare lui. E ricominciava. Non ce la faccio non ce la faccio.

A dire la verità, di impegni ce n'erano eccome. Doveva finire, curare bene la bibliografia a cui il professore teneva particolarmente, far battere, fotocopiare, rilegare, pagare la tassa di laurea e consegnare la tesi secondo i tempi di ufficio. Un'amica le aveva detto non ti preoccupare, fai come me, in segreteria porti un pacco di fogli bianchi con il titolo sopra, tanto nessuno controlla, è la copia per l'ufficio, non serve a niente. Ma sei sicura, aveva chiesto lei. Se ti dico che ho fatto cosí, le aveva risposto l'altra. Ma chissà se l'aveva convinta. La seduta, poi, capitava di lunedí. Se non avesse trovato il prof in tempo per fargli firmare i frontespizi? Non c'era verso, doveva finire con tre o quattro giorni di anticipo, almeno. E poi c'era Denia, il correlatore, un altro da camicia di forza, una copia doveva portargliela, figurati se la leggeva però non si poteva farne a meno, quello era capace di farle ricordare la laurea se non si sentiva trattato con tutti i riguardi.

Martina invece era eccitatissima. Faceva molto piú casino del solito. Sembrava proprio che fosse tornato il Natale, per lei. Da tanto tempo sentiva parlare di tesi, sessioni, note a margine, capitoli e paragrafi, relatori, correlatori e altri termini curiosi che la divertivano un sacco. Solo uno le era familiare, ricerca. Ma quello che trovava proprio irresistibile era la somiglianza del nome della sua mamma con quello dell'avvenimento che stavano aspettando. «Laura si laurea», andava ripetendo per casa tutto il giorno. Se poi arrivava un ospite, lo filastroccava. Livio le aveva spiegato che il giorno della laurea la mamma sarebbe diventata un dottore, e anche se non aveva capito bene come potesse avvenire una trasformazione del genere, era molto orgogliosa di lei. E l'andava a sfottere spesso e volentieri.

E dài smettila, le faceva segno Livio a tavola quando Laura si perdeva con lo sguardo nel vuoto e lei ridacchiava dietro il tovagliolo.

– Ma che succede quel giorno? Che ti fanno? – le aveva chiesto, sollevando la testa dai compiti, un pomeriggio che Laura s'era alzata per bere.

– Che mi fanno, non mi fanno niente. Devo discutere la tesi.

– Discutere? E perché?
– Eh, va be', poi te lo spiego, un giorno.

– Secondo me lo fai apposta, – le disse Livio quella
sera portandola a letto.
– Chi, io? – rispose Martina, e si nascose sotto le coperte.

18.

Il pomeriggio era appena cominciato quando Livio, Martina e Laura uscirono insieme di casa. Non c'era un filo di vento, e incrociandosi per strada i passanti si scambiavano con gli occhi la sofferenza del caldo. Laura avrebbe fatto volentieri a meno di uscire a quell'ora, ma alla bambina servivano le scarpe nuove, e non si fidava a lasciare Livio solo a fare acquisti.

Attraversarono la villa comunale, Martina voleva andare alla fontana delle oche. C'erano degli altri bambini, quasi tutti in bicicletta, che tenevano d'occhio gli adulti che li avevano portati lí, e qualche vecchio sparso per le panchine. Davanti al teatrino delle marionette, silenzioso e deserto, un uomo con le unghie sporche e la faccia scavata, magrissimo nel vestito che indossava, apriva le sedie per il pubblico. Sul ciglio di un'aiuola poco lontano c'era una coppia di ragazzini. Lei giocava con i lacci delle scarpe, ogni tanto si abbracciava alle gambe e appoggiava il mento sulle ginocchia. Lui le stava davanti, chino sulle caviglie, e le guardava addosso senza parlare.

Martina si fermò davanti allo scheletro di un chiosco rotondo. Dentro, una signora di mezza età con un vestito scolorito a fiori e le scarpe di gomma affondava un mestolo in un secchio e tirava fuori dei pesciolini rossi che poi infilava uno alla volta, aiutandosi con le dita, in tante piccole bocce ordinate alle sue spalle su tre ripiani di diverse altezze. Rivolto a chi voleva giocare, un piccolo cesto di palline da ping pong. Si potevano fare tre lanci. Se la palla cadeva nella boccia si vinceva il pesciolino.

Mentre Martina la guardava, aggrappata a uno dei ferri del chiosco, la signora dei pesciolini appese a un chiodo, poco piú su della propria testa, un cartello con le regole del gioco.

– Vuoi venire sí o no, avanti non farmi gridare, – la chiamò Livio da poco lontano. Poi vide che la bambina si strofinava un occhio e l'andò a prendere.

– Perché piangi? – le chiese.

– Non lo so.

Il bar di legno aveva già aperto. Martina voleva la granita d'arancia. Livio le disse di non pensarci nemmeno, che aveva mangiato da poco. Laura fu d'accordo con lui. Martina li distanziò camminando con la testa bassa e le braccia morte lungo i fianchi. Laura la portò al chiosco, e mentre tirava fuori i soldi le disse che stava approfittando di quel periodo ma poteva mettersi l'anima in pace che sarebbe finito presto.

Livio si fermò a guardarle e gli venne in mente Dorina che metteva fuori la punta della lingua dopo aver bevuto.

Martina fu entusiasta delle scarpe nuove. Sulle suole di gomma si sentiva capace di qualunque acrobazia. Saltellava su una gamba sola su e giú per il negozio e rideva delle persone rimaste in calzini ad aspettare che la commessa tornasse con il calzascarpe o con un numero in piú. Laura la guardava rassegnata, pensando che in quel periodo aveva perso completamente il controllo della sua educazione.

Livio era alla cassa quando entrò qualcuno che ebbe l'impressione di avere già visto da qualche parte. Quello lo superò appena, poi si bloccò come avesse ricevuto l'ordine dell'attenti e si voltò verso di lui. Anche Livio lo guardò, senza ricordare chi fosse. La cassiera batté lo scontrino e il cassetto dei soldi partí in avanti facendo suonare il campanello.

– Ha venti?

– Vedo, – disse Livio.

Nel frattempo l'altro gli aveva tolto gli occhi di dosso e guardava con interesse Laura e Martina. Gli dava le spalle, ma Livio avrebbe giurato che aveva un ghigno in faccia. Una commessa gli andò vicino e quello, senza muovere lo sguardo, disse: – Quei mocassini con la fibbia, nella vetrina a destra.

La ragazza buttò l'occhio ai piedi e tirò a indovinare. Soltanto allora Livio si ricordò chi era.

– Signore, scusi, – lo scosse la voce della cassiera.

– Come? – fece Livio, e le riconobbe nella mano destra le cento che le aveva dato. Nell'altra teneva una banconota da cinquanta e si stringeva nelle spalle.

– Non so proprio come fare, abbia pazienza.

– Ah sí, le ventimila lire, mi scusi.

Martina e Laura lo raggiunsero alla cassa. La bambina chiese di tenere le scarpe nuove. La cassiera incartò le vecchie. Mario Santonicola cominciò a passeggiare intorno a loro e a fissarli finché Laura non se ne accorse.

– Ma che vuole questo, lo conosci? – provò a domandare a Livio sottovoce.

Lui non le rispose. Perché quell'imbranata di cassiera ci metteva tanto?

– Chi si vede, – disse a un tratto il lavandaio con la testa sbilenca.

Livio finse di non sentire e con la coda dell'occhio riconobbe il ghigno che aveva immaginato prima.

La cassiera infilò la scatola nella busta e la porse a Laura. Mario Santonicola annuiva e batteva il piede per terra. Laura si affrettò a ringraziare.

– Papà, ti ha salutato quel signore.

– Livio andiamo, – gli disse Laura mentre lui, rallentando i movimenti, accettava la provocazione senza accorgersene.

– Buonasera, eh! Perché non mi salutate? Non vi ricordate di me, forse? – infierí quello facendosi largo tra le voci degli altri. Nel negozio calò un silenzio cosí pesante che anche chi non c'entrava si sentí tirato in causa. Livio si voltò lentamente e guardò il lavandaio negli occhi.

– Mi ricordo, mi ricordo di lei. Adesso ci siamo salutati.

Quello tirò su gli angoli della bocca e continuò a fissarlo senza rispondere. Martina si attaccò al braccio di Livio.

– Andiamocene Livio, per favore, – ripeteva Laura con la paura nella voce. Proprio allora tornò la commessa con le scarpe.

– Mi scusi, – disse col fiatone mentre mostrava la scatola a Mario, – ma dentro il numero non c'era e ho dovuto prenderle in vetrina.

Il lavandaio si voltò per seguirla e rinunciò. La gente riprese a vociare. Era tutto finito.

Uscirono dal negozio camminando al rallentatore. Martina si teneva ancora al braccio di Livio. Laura si voltava continuamente indietro.

– Ma chi è quello?

– Niente, niente, – disse Livio.

– Come niente? Ancora un po' e vi pigliavate a pugni!

– Solo uno stronzo. Roba di parcheggio, l'altro ieri.

– Ma quando? Chi è? Che ti ha fatto?

– Ma niente, come te lo devo dire? Non ti preoccupare, è tutto a posto.

Fecero il resto della strada in silenzio. A Martina passò la voglia del gelato, e si dimenticò addirittura delle scarpe nuove.

Laura tornò a casa con la bambina. Livio andò in galleria. Ci volle tutto il resto del pomeriggio per smaltire la collera.

Quando rientrò, sentí subito qualcosa di diverso. Lasciò andare la porta senza accompagnarla, e quella non sbatté. Buttò le chiavi sul mobiletto del telefono e il rumore si spense come fossero cadute su qualcosa di soffice. Camminava e le scarpe non stridevano come al solito. In tutta la casa c'era un silenzio innaturale, quasi che le cose complottassero per mantenerlo. L'albero era spento. In soggiorno c'era la televisione accesa. Un po' di luce veniva dalla cucina. La porta della camera da letto era chiusa. Chiamò e nessuno rispose.

Martina era sul divano, davanti al televisore, col suo orso preferito in braccio e quattro o cinque Topolini sotto l'altro gomito.

– Ciao papà, – disse sottovoce, e continuò a seguire il programma. Sembrava avesse bisogno di riposare, forse lo spavento preso al negozio. Livio si sedette accanto a lei e la accarezzò. Si voltò verso la cucina. Veniva un bell'odore di spezzatino. La tavola era già pronta. Pensò di aver dimenticato una ricorrenza.

Laura uscí dalla stanza da letto e si affacciò nel soggiorno. Aveva una camicia di Livio e i pantaloni di quando erano usciti. Le pantofole davano alla sua tenuta il senso dell'intimità. Teneva i capelli con il cerchietto. Il viso, a dispetto della fatica che faceva in quel periodo, era disteso e chiaro. Era molto bella.

– Non ti avevo sentito, – disse.

Non lo aveva salutato come al solito. Era felice che ci fosse.

– Come mai la cenetta? – chiese Livio.

– Cosí. Perché, non hai fame?

– Eccome. Anzi, fammele piú spesso, queste sorprese.

La stessa quiete di prima lo invase. L'incidente del negozio non era mai esistito.

– Era tanto che non cucinavo una cosa buona, – disse Laura sedendosi sul bracciolo del divano.

– È tanto che non cucini, per la verità, – fece Livio, e mentre ridacchiavano Laura gli fece una carezza lentissima fra i capelli.

Si misero a tavola e lasciarono la televisione accesa nell'altra stanza. Martina si portò dietro l'orsacchiotto. Livio fu sorpreso che Laura glielo permettesse.

Per tutto il tempo della cena, Laura cercò di tenergli la mano.

La mattina dopo, Dorina era in agenzia e stava rior-
dinando la cartella delle fatture. Suonò il campanello.
Andò ad aprire. Si trovò davanti Livio e Martina. Rimase senza parole.

– Ciao, – fece Martina.

– È permesso? – chiese Livio sorridendo.

Dorina lo guardò. Livio si sentí spiazzato dalla sicurezza con cui ne definí subito l'espressione. Gli sembrò rapinata. Un'associazione immediata con uno scip-
po a cui aveva assistito una volta. I due ragazzi in ve-
spa (uno poi gli era sembrato di riconoscerlo tempo
dopo, davanti a una sala da biliardo) avevano scara-
ventato a terra la signora per scappare con un po' di
vantaggio. Livio l'aveva aiutata ad alzarsi e quella, prima ancora di chiedersi dove si era fatta male, aveva cercato la sua borsetta e quando si era accorta di non averla aveva fatto esattamente quella faccia. Forse per la
prima volta da quando la conosceva, Livio aveva visto
Dorina impressionata. Ma durò un momento.

– Accomodatevi, – disse Dorina, e prese il controllo.

Martina corse ad affacciarsi alla scrivania. Livio, un
piede fuori e uno dentro, sollevò la cartella che aveva
portato con sé, l'aprí e tirò fuori un blocco di fogli.

– Vorremmo lasciare questa tesi da battere, – disse.
Naturalmente era quella di Laura.

Dorina prese le carte dalle mani di Livio e andò alla scrivania. Durante la manovra le loro mani si erano
sfiorate. Livio non sentí niente. Martina aveva preso
una gomma per cancellare e la stava annusando.

– Come ti chiami? – chiese la bambina.

– Dorina, – disse lei.

– Sembra un nome di biscotti.

Livio le andò vicino e le scompigliò i capelli con la
mano. Guardò Dorina sperando di strapparle un rimorso, un dispiacere, qualcosa. Ma lei rimase al suo
posto.

Martina era curva sulla scrivania, si reggeva sui gomiti spingendosi in avanti con la testa fin dove poteva

arrivare, poi tornava indietro e si dondolava a destra e a sinistra col bacino. A guardarla bene non è che gli somigliasse molto, ma chiunque avesse conosciuto Livio avrebbe pensato, vedendola, che era figlia sua.

– Posso venire dove sei tu? – chiese Martina che andava pazza per le sedie girevoli. Dorina pensò che volesse vedere il computer. – Come no, – rispose.

Martina corse dietro la scrivania e si mise a frugare nel portapenne. Livio posò la cartella sul divanetto. Dorina si mise la tesi davanti e le diede una scorsa.

– Per quando serve? – domandò senza togliere gli occhi dalle carte.

– Sabato. Non questo, l'altro, – rispose lui. Martina faceva un motivetto con la bocca chiusa.

– Le note vanno a piede pagina oppure alla fine dei capitoli? – continuò lei, come se stesse parlando a un cliente.

– Mah... non so, – disse Livio cominciando a pentirsi dell'iniziativa.

Dorina accese il computer e mandò in stampa due fogli. Si alzò e li compilò rapidamente. Martina si mise subito al suo posto e fece ruotare la sedia. Dorina passò i moduli a Livio e gli offrí la penna. Poi li firmò anche lei, e gliene lasciò una copia.

Livio assisteva mortificato a quella insignificante sequenza di operazioni. Pensava: guarda con che naturalezza mi ha indicato la riga su cui dovevo firmare. Ma si accorge o no di quanto tutto questo sia umiliante per me? Anche adesso che le riconosceva un buon motivo per darsi quel contegno (Martina era sí piccola, ma era giusto non sottovalutarla), continuava a sentire la stessa insopportabile lontananza, la stessa insensibilità di Dorina verso la sua vita e i suoi affetti piú importanti. Niente l'aveva mai toccato in quel modo. Eppure sentiva che proprio da quell'insoddisfazione, da quel bisogno di lei mai veramente appagato, nasceva il desiderio.

– Forse posso farcela anche per venerdí prossimo, – disse Dorina tornando alla scrivania.

Martina si alzò e andò da Livio.

– Un giorno in piú non fa differenza, – rispose lui sullo stesso tono.

Aprí la porta. Martina saltò fuori. Prima di andarsene, Livio si voltò verso Dorina. Uscí e chiuse la porta.

Dorina fece leva con le mani sul taglio della scrivania e si spinse all'indietro con la sedia. Incrociò le braccia sulle gambe e si piegò in avanti. Si guardò le scarpe, e pensò che era arrivato il momento di cambiarle.

19

Dorina dormiva ancora quando squillò il telefono. Non aveva voglia di rispondere, ma quello insisteva.

– Sí.

– Dorina, sono io.

Lei non parlò. Da casa di Livio si sentiva la giornata che cominciava.

– Scusami.

Lei fece i primi respiri da sveglia. Si voltò su un fianco. Il ricevitore le scivolò lungo il viso e si fermò fra la spalla e il collo. Livio parlava sottovoce, facendo delle lunghe pause. Dorina lo sentiva attraverso il corpo.

– Mi dispiace.

Lei accostò le labbra al telefono senza toccarlo con le mani. – Lo sapevo che non venivi.

– Come, lo sapevi? – fece lui. Il tono era già piú spontaneo. Dorina prese il ricevitore e si voltò dall'altra parte.

– Eri arrabbiato, – disse. E sbadigliò.

Livio guardò dritto davanti a sé, e gli sembrò di non sentire piú niente. Una mistura di collera repressa e di sollievo lo sopraffece. Restò con il ricevitore incollato alla faccia e si dimenticò perfino che c'era Laura di là. Dorina lo aveva spiazzato un'altra volta. Tutto quel faticare per non andarci la sera prima, il pomeriggio passato a guardare il telefono, l'idea balorda alle tre e un quarto di mattina di alzarsi e andare a casa sua pregando che Laura non se ne accorgesse, il taglio che si era fatto radendosi, uno alla volta i dettagli della sua

ripicca gli passavano davanti dandogli del cretino. Come al solito, Dorina era arrivata prima. Erano le sette
del mattino e lui si attaccava al telefono approfittando
che sua moglie era in bagno a prepararsi. Dorina avrebbe potuto fare di lui quello che voleva, invece gli stava parlando senza alcuna condiscendenza. E immediatamente Livio ne approfittava per strisciare.

Ha passato la serata da sola. Mi ha aspettato come
sempre, e non c'è niente di piú umiliante che aspettare qualcuno che non viene. Adesso è mattina e lei ce
l'ha fatta, e sono io che non ho dormito, io che ho bisogno di lei, tutta la notte ho pensato che ho fatto, lei
è sola, senza nessuno, non l'ho neanche chiamata, e tutto perché le ho voluto portare la bambina senza neppure dirglielo, una bestia ecco quello che sono, ha fatto bene a trattarmi come mi ha trattato, doveva but-
tarmi fuori con tutta la tesi, dovrebbe sbattermi il
telefono in faccia e trovarsene un altro anzi due tre o
cinquanta tutti quelli che può, ecco quello che dovrebbe fare.

– È colpa mia. Non dovresti essere buona con me,
– disse Livio. E lasciò andare il fiato. A questo serve
l'autocommiserazione: a toccare il fondo per risalire.

Ci fu un po' di silenzio, poi fu lei a parlare.

– È bella Martina.

Livio chiuse gli occhi e li riaprí. Fu tale la conten-
tezza che vide prima l'accappatoio e poi Laura. Rin-
tronato com'era, avrebbe potuto tranquillamente pensare che se ne andasse in giro da solo. Laura andò dritta verso il comò, gli buttò giusto un'occhiata e non
sembrò dare molto peso al fatto che fosse al telefono
cosí presto.

– Va bene, allora d'accordo, – disse Livio stando attento a non modificare troppo il tono della voce.

Dorina, neanche una parola. Aveva capito o no?
Attaccò.

– Con chi parlavi? – domandò Laura togliendosi
l'accappatoio. Restò completamente nuda e aprí il ti-
retto della sua biancheria.

Livio s'incantò davanti alla piacevole armonia delle sue proporzioni e alla leggerezza che avevano i suoi gesti nudi. Era la seconda volta in due giorni che si accorgeva della sua bellezza. Pensò che quel corpo era la madre di sua figlia. Per un momento, soltanto per un momento, provò orrore di abitare ancora lí.

– Ehi, ma mi hai sentito? – disse Laura.

Livio continuava a fissarla. Non la guardava con desiderio, ma gli occhi erano puntati direttamente sul seno.

– Ooh, Gesú, ti stai facendo proprio vecchio. Adesso ti metti a guardare le ragazzine? – disse Laura, e s'infilò il reggipetto.

La tesi è a buon punto, pensò Livio.

20.

Quel giorno si videro prima del solito. Appena uscito di casa, Livio l'aveva richiamata dalla strada scu-
sandosi per aver chiuso prima ma non poteva fare altrimenti. Dorina gli aveva detto che non aveva nessuna voglia di lavorare e se per lui andava bene potevano
andare a pranzo fuori e poi passare la giornata insieme.
Mi piacerebbe tornare in quel posto dove fanno le eliche con la zucca, gli disse. A Livio non sembrò vero di
sentirsi fare quella proposta, un peso enorme lo prendeva al pensiero di quello che doveva dirle ma l'occasione era perfetta e rispose immediatamente sí. Impegni non ne aveva, doveva andare in galleria nel pomeriggio ma va be', per una volta. C'era sí la probabilità
che Laura lo chiamasse per dirgli qualcosa, ma poteva
inventarne una qualunque, un conoscente che lo aveva trattenuto; no, anzi, la bolletta del telefono sca-
duta da una settimana, l'ufficio numero sette faceva
servizio di cassa anche di pomeriggio ed era bello lontano, sí perfetto, allora chiamò subito Laura, ho incontrato Stefano Adriani le disse, insiste tanto per
averci a pranzo da lui tutti e tre. Uh Stefano, che bello, da quanto tempo, aveva detto lei, ma come faccio
con la tesi, vacci almeno tu poi ci sarà un'altra occasione.

Quando Dorina si svegliò, vide Livio appoggiato
all'infisso della porta. Era già mezzo vestito. La guardava.

Dorina si tirò su e si appoggiò alla spalliera del letto. Si liberò la faccia dai capelli.

– Che mi devi dire?

Lui abbassò lo sguardo.

– Laura è incinta.

Dorina socchiuse le labbra. Respirò. Livio restò com'era, aspettando una reazione. Una qualsiasi. Avrebbe accettato qualunque cosa, in quel momento, da lei.

Dorina si piegò in avanti come per adeguare il corpo a una fitta e capí perché il giorno prima era andato da lei con Martina. Poi raccolse il fiato e cominciò a parlare.

– Da bambina andavo spesso in una rosticceria vicino alla stazione.

Livio pensò di non aver sentito bene.

– Una volta è entrata una donna. Cioè una signora, avrà avuto sui sessant'anni. L'ho riconosciuta subito, faceva la commessa nel negozio di coloniali di fronte. Era vestita con poco, però ordinata.

Livio la guardava come un quadro. Quelle parole strampalate, quella storia fuori luogo, il senso che certamente doveva avere, avevano un fascino, una bellezza che riempiva la stanza intera. Aguzzò le orecchie e fece il collo lungo per non farsi sfuggire niente, come quando ci si sforza di capire qualcuno che sta parlando in un'altra lingua.

– Si è messa la mano nella tasca del cappotto e ha tirato fuori un mucchietto di spiccioli. È andata alla cassa, ha detto «Un calzone», e li ha quasi buttati sul vassoietto dei soldi. C'erano anche delle dieci lire, ho riconosciuto il rumore. Quello gli ha fatto lo scontrino e lei è andata al banco. «Un calzone», ha detto. Il cameriere ha controllato lo scontrino e ha preso le pinze. «Con la mozzarella», lo ha preceduto lei. Se l'è fatto incartare ed è uscita. Gli ha dato qualche morso alla fermata dell'autobus, lí di fronte. La guardavo da dietro la porta a vetri. Quando l'autobus è arrivato l'ha richiuso nella carta ed è salita. Non l'ho piú vista.

Livio rimase come inchiodato sulla porta. Non sa-

peva se aveva capito o no, ma in quel momento non gli
importava. Il racconto di Dorina gli aveva messo dentro un'angoscia che montava, montava.

– Lo sai che ho pensato, quella volta? – disse allora
Dorina.

Livio restava in piedi a fatica.

– Che ero io, quella.

Livio guardò la porta aperta accanto a sé. Si stava
sentendo male, doveva fare qualcosa. Strinse i denti,
ma la bocca si aprí da sola. La collera, la colpa, la frustrazione, tutto quanto non aveva mai detto venne fuori insieme. Riuscí a non urlare. Chiuse un pugno. Il
braccio scattò in avanti. Sfasciò il vetro della porta.
Il sangue macchiò anche il muro. Dorina rimase seduta e si protesse la testa con le mani. Forse pensò che
volesse fare del male anche a lei. Livio raccolse i pantaloni dalla sedia ansimando. Se li infilò con una mano
sola, tenendo il braccio ferito piegato verso l'alto per
trattenere il sangue. Ne finí un po' anche sul letto.
Uscendo dalla stanza calpestò i vetri. Andò in bagno e
fece scorrere l'acqua. Dorina lo sentí frugare nell'ar-
madietto delle medicine. Poco dopo, i suoi passi velo-
ci nel corridoio. Stava andando via. Sbatté la porta. Il
rumore fu cosí forte che coprí quello dei suoi primi passi per le scale.

Chissà quanto tempo era passato. La porta le sbatteva ancora nella testa quando squillò il telefono. Andò
di corsa a rispondere. Dall'altra parte nessuno parlava.
Lei disse pronto una volta sola, poi restò ad ascoltare.
Era brava a riconoscere il respiro.

Dopo poco richiuse. Aveva capito. Era il lavandaio.

Dorina è alla finestra. Sa che è notte, ma fuori il cielo è acceso e illumina la strada. Davanti a lei c'è un giardino piccolo e ben curato, un rettangolo semplice, con un muretto basso che fa da bordo. La pietra è la stessa di cui è fatta la panchina costruita all'interno. Il prato è uniforme e c'è un albero di pesche dall'aspetto giovanissimo nel centro. Su un lato, un'apertura da cui parte un viottolo di ghiaia grigia che arriva fino al cancello. Dorina incrocia le braccia, si appoggia sul davanzale e respira la quiete. È un bell'angolo, c'è poco poco, come piace a lei.

A un tratto s'accorge che il cancello è aperto. Dovrebbero chiuderlo, pensa, qualcuno può entrare. Chiama. È convinta che la sentiranno. Una donna si affaccia alla finestra di fronte. È grassa e simpatica, ha un'aria familiare, ride e sorride, è tutta contenta.

– Dica, dica –. È così disponibile a rispondere che pare stia lí apposta.

– Mi scusi, – fa Dorina, – non volevo disturbarla. Forse l'ho distratta da qualcosa di bello?

– Non fa niente, dica, dica, – ripete quella, e schiocca le dita come se seguisse una musica.

– Beata lei che è così contenta, – dice Dorina. – Posso sapere perché?

– Sapesse. Sono tornati i miei figli dall'America, non li vedevo da vent'anni, e mi hanno detto che non mi lasceranno mai piú. Stiamo facendo festa.

– Che bello, signora, come sono contenta per lei.

– Perché non viene anche lei? C'è tanta di quella roba da mangiare!

– No, che c'entro io, rimanga coi suoi figli, è un momento cosí importante. Poi non ci conosciamo nemmeno.

– Come non ci conosciamo. Avanti avanti, non si faccia pregare.

– Davvero signora, poi veramente non posso, devo finire un lavoro.

– Almeno un morso deve darlo, però, – dice quella. E le offre un sacchetto. Come ha fatto ad arrivarle cosí vicino, era al palazzo di fronte. E perché adesso Dorina vede solo le mani. Non ha fame, ma vuol sapere cosa le ha offerto. Prende il sacchetto. È unto. Lo apre. C'è un calzone, e la forma di un morso. Come ha fatto a non riconoscerla.

– Il cancello, il cancello!! – urla qualcuno da basso.

Dorina guarda verso il giardino. C'è solo la panchina. L'albero è stato sradicato. Nel prato c'è come una ferita aperta, piena di vetri. Un bambino singhiozza, lei vuole farlo smettere, si guarda intorno cercando. Non lo trova. Lontano, vede Livio che passa. Ha lui il sacchetto, adesso. Si sporge per chiamarlo. Perde l'equilibrio e cade.

Dorina scatta a sedere sul letto. Le sembra di essere tornata in superficie. L'aria non le basta. Non sa chi è, dove si trova, come fa a muoversi, dove ha la testa e le mani. È sveglia, sí, questo lo sa. Ma non riesce a pensare, qualcosa l'ha assalita e deve salvarsi. Il cuore batte velocissimo. Il buio la confonde. Salta fuori dal letto. Urta la sedia e cade in ginocchio sul pavimento. Il dolore arriva dopo un rumore secco che si spegne nel silenzio della stanza, però le restituisce la padronanza del corpo. Dorina alza la testa. Guarda le cifre rosse dell'orologio al quarzo che lampeggiano sul comodino. Le quattro e dieci. Sente l'intero condominio sprofondato nel sonno, le sembra di trovarsi nella pancia di un gigante che dorme. Dalle strisce della serranda passa un filo di luce. Il copriletto è macchiato. Si ricorda la

mano di Livio che sfonda il vetro della porta, e soprattutto il rumore. Sente come un peso al petto che la
schiaccia. Si alza lentamente. Lo stinco e le ginocchia
fanno male ma il cuore si è calmato. Si tiene al cassettone e respira. Ricorda bene la stanza. Arriva alla porta senza difficoltà. Schiaccia i vetri con i piedi. È scal-
za, ma sente soltanto il rumore. Trova l'interruttore
della luce. Esce sul corridoio. Andando verso il bagno
sente che il piede sinistro scivola su qualcosa. Si tocca.
È sangue. Si è ferita con i vetri. Non dà importanza alla cosa. Non le fa male. Accende la luce del bagno. Si
siede sul vaso e urina. Respira rumorosamente e ingoia
saliva e aria. Si alza e beve dal rubinetto. Apre l'ar-
madietto delle medicine. Non trova il disinfettante, poi
si accorge che è lí, sul lavandino. E già, l'ha usato Livio, prima. Si medica il piede. Toglie le schegge. Il taglio non è profondo. Non ha cerotti, si benda con la
carta igienica. Beve ancora, usando le mani come cop-
pa. Allora vede lo spazzolino e il dentifricio di Livio.
Chiude il rubinetto. Si asciuga la bocca. Li prende, li
stringe fra le mani. Li accosta al seno una volta. Poi ri-
torna a letto.

22

Erano le undici e un quarto di mattina quando Laura si trovò a passare per il centro. Davanti alla scuola era pieno di bambini. Com'è, pensò lei. È cosí presto.

C'erano dei passanti che chiacchieravano fra loro e dicevano la bomba, la bomba, come se parlassero del tempo. Da lontano, tutti quei bambini parevano scaraventati per strada senza controllo. Invece erano divisi in gruppi, e guardati a vista. Sembrava che fossero ancora in classe, tanta era l'autorità con cui gli insegnanti li tenevano a bada.

Laura si guardò intorno cercando Martina. Meno male che mi sono trovata a passare, pensò, quella era capace di venirsene da sola, e magari andava pure a farsi un giro, prima.

A un certo punto si sentí chiamare. Era la maestra di Martina. Seguí la voce nella folla e la trovò. Riconobbe i compagni di classe di Martina. Martina non c'era. Si avviò verso la maestra col passo svelto e la faccia preoccupata. Quella se ne accorse, e le sorrise.

– Martina dov'è, signora? – disse Laura senza neppure salutarla.

– È al bar con la collega dell'altro corso, doveva andare in bagno, – la rassicurò la maestra. – L'ha accompagnata lei, io non potevo lasciare i bambini.

Laura fece un sospiro e si scusò.

I compagni di classe di Martina scalpitavano. Ogni tanto qualcuno cercava di saltare fuori dal gruppo, ma la maestra lo acchiappava prima che facesse in tempo ad allontanarsi e lo rimetteva subito dentro.

Cominciarono ad arrivare le prime mamme e qualche fratello maggiore. Laura chiacchierava con la maestra e si girava continuamente in direzione del bar. All'improvviso, fra quella gente sparpagliata nella strada, mentre i primi bambini se ne andavano con i parenti venuti a prenderli e gli insegnanti facevano sempre piú fatica a governare quelli che dovevano restare ad aspettare il loro turno, Laura vide che poco lontano, a un telefono pubblico, c'era Livio. Reggeva l'apparecchio con due dita e teneva l'altra mano in tasca. Si muoveva come chi aspetta, girandosi intorno senza posare lo sguardo da nessuna parte. Le labbra erano chiuse. Evidentemente il telefono stava suonando a vuoto.

Laura salutò la maestra. Livio attaccò e rimase ancora un momento davanti al telefono. Stava per allontanarsi quando Laura gli arrivò alle spalle e lo prese per un braccio. Livio si girò e se la trovò davanti. A momenti non ci credeva.

– Ciao. E che fai qua? – le disse.

– Mi sono trovata a passare. Tu piuttosto.

Laura parlava girandosi continuamente verso il bar.

– Eh, anch'io.

– Eri al telefono.

Livio fu sveltissimo.

– Stavo chiamando te. Ti volevo dire che ero passato io a prendere la bambina.

In quel momento Martina uscí dal bar con l'altra maestra che la teneva per mano. Laura prese Livio sotto braccio, e le andarono incontro insieme.

Livio uscí alle tre del pomeriggio dicendo che avrebbe aperto prima, forse un amico gli portava un cliente di quelli che comprano per spendere. Si allontanò da casa quel po' che gli sembrò abbastanza, e si fermò al primo telefono.

Erano già tre giorni che non riusciva a trovarla. Ave-

va provato a chiamare a tutte le ore, ma niente. Che
lasciasse suonare il telefono di casa, poteva spiegarse-
lo. Ma che non rispondesse neanche in agenzia, e nelle ore d'ufficio, quello era proprio strano.

All'inizio aveva pensato che Dorina volesse farlo soltanto sentire in colpa. Poi aveva cominciato a preoc-
cuparsi. Quel telefono sempre muto, quella mancanza
di notizie e l'impossibilità di procurarsene avevano
l'impressione di una scomparsa. Ormai era da un po'
che stava pensando al peggio. Non era mica tanto difficile che le fosse successo qualcosa. Poteva essersi sentita male subito dopo la scenata, e non essere riuscita
a chiamare aiuto. Poteva essere uscita e aver preso la
macchina. Sconvolta com'era, un incidente le sarebbe
potuto capitare con facilità. Poteva essere andata in giro a piedi, da sola. Essere stata aggredita, picchiata,
violentata. Ammazzata. Che poteva saperne lui? Chi
lo avrebbe avvertito? Amici comuni non ce n'erano.
Parenti, Dorina non ne aveva. O meglio, Livio non lo
sapeva. Non ne avevano mai parlato. Da quando aveva trovato quell'album senza fotografie, non gli era piú
venuta voglia di chiederglielo. Se le fosse capitato qualcosa, sarebbe stata colpa sua.

Riprese a chiamare, mentre le ipotesi peggiori continuavano a tormentarlo. Provò con quelle piú ottimi-
stiche (vuol farmela pagare, se n'è andata per un po',
avrà raggiunto qualche parente fuori città), ma le prime facevano presto a prendere il sopravvento. Il telefono suonava sempre a vuoto.

Livio guardò l'orologio. C'era ancora tempo prima
dell'apertura. Attaccò il telefono che aveva appena ri-
fatto il numero. Si avviò. Perché aveva aspettato tanto a decidersi. Camminò in fretta, superando gli altri
passanti. Finí che si mise quasi a correre. Avrebbe accettato qualsiasi dolore, dopo, pur di togliersi quel peso dal cuore adesso.

Quando arrivò nella via dove abitava Dorina ebbe
l'impressione di scontrarsi con qualcosa, e rallentò improvvisamente il passo. Camminando si accorgeva di

riconoscere le cose che lo circondavano, come se la memoria le avesse conservate da qualche parte a sua insaputa, e gliele stesse mostrando soltanto allora. Non aveva niente di bello, quella via. Era una strada qualsiasi, asfalto, cemento vecchio e brutti portoni. Sui marciapiedi c'erano le strisce dei vasi delle piante trascinate a forza sotto i muri per parcheggiare le macchine. Ci passava pure l'autostrada, vicino. Eppure Livio era contento di essere lí. Anche il divieto d'accesso gli piaceva, perché era sotto casa di lei.

Arrivò al citofono. Si sentí chiudere lo stomaco quando vide il suo nome fra quelli degli altri condomini. Se l'avesse avuta davanti in quel momento, le avrebbe detto sposami.

Suonò a lungo. Che cretino, se c'è e non mi vuol parlare, cosí capisce sicuramente che sono io. Suonò ancora. Due, tre, quattro volte. Dorina, Dorina, che ti ho fatto.

Arrivò un signore di mezza età e tirò delle chiavi fuori di tasca. Livio lo osservò mentre le infilava nella toppa del portone. Glielo chiedo o no, glielo chiedo o no. Quello lo guardò con diffidenza, e del resto ne aveva motivo. Livio non era piú la persona composta che era uscita di casa mezz'ora prima. Sembrava un ragazzino all'esame di maturità, uno sventurato che aveva contratto un'infezione, un male dispettoso che lo tirava in punti diversi del corpo contemporaneamente. Il signore si lasciò andare il portone dietro le spalle e si avviò per le scale. «Beato te, – pensò Livio, – che non la conosci».

Decise di provare all'agenzia. Sperava ancora. Camminando si diceva calmati, se fai cosí è peggio, mo' vedi che la trovi in ufficio, dove vuoi che sia, è soltanto arrabbiata, non è successo niente. Ma appena girò l'angolo, l'angoscia lo assalí ancora. Affrettò il passo cosí improvvisamente che gli venne l'affanno dopo pochi metri. Arrivò sotto l'ufficio di Dorina con il cuore in gola. Era chiuso, la saracinesca abbassata. Ma come, pensò. Cercò un cartello, un foglietto, una

ragione, qualcosa. C'era soltanto la saracinesca abbassata.

Si appoggiò con la schiena al muro per riprendere
fiato. Il cuore batteva piú forte di prima. Forse è presto. No, sono già le quattro e mezza, gli altri negozi sono aperti. Dorina, Dorina, che ti è successo. Tutto
quello che vuoi, qualsiasi cosa, lasciami, dimmi di sparire, di stare tutta la vita senza piú vederti, ma che almeno non ti sia capitato niente di male.

Arrivò un ragazzino. La palla davanti, lui dietro che
la seguiva a passi lunghi. Quando la raggiungeva l'allontanava da sé con un piccolo calcio, e adeguava di
nuovo il passo. Livio ansimava ancora, appoggiato al
muro. Il bambino gli passò davanti e lo guardò con in-
vadenza. Lo superò. Si voltò piú volte indietro mentre
si allontanava continuando a spingere la palla davanti
a sé.

Livio notò che anche il negozio a fianco era chiuso.
Ma com'è, gli altri sono aperti. Allora gli vennero in
mente le scarpe di Martina. Il lavandaio, ma sí, è il negozio del lavandaio questo. Ma guarda tu la madonna,
è chiuso pure lui, forse poteva sapere qualcosa. Sulla
saracinesca, un po' piú in alto della testa, vide che c'era
un biglietto attaccato con del nastro adesivo. Probabilmente il lavandaio l'aveva messo lí per impedire che
lo stracciassero. In quel momento Livio ebbe un pensiero terribile. Si sollevò sulle punte, e quando lesse il
biglietto si sentí gelare il sangue.

C'era scritto a penna «Chiuso per lutto».

Si allontanò in fretta. Per strada trovò un taxi e si
fece portare al negozio. Gli costò un po'. Non se ne accorse. Il tassista ripartí cosí in fretta che sembrò volesse fare prima che Livio ci ripensasse.

Livio entrò, chiuse a chiave. Andò alla scrivania e si
mise di spalle alla porta. Se avesse suonato qualcuno,
avrebbe fatto finta di non sentire. Riprovò a casa di
Dorina. Inutile. Allora prese l'elenco e cercò il numero dell'ospedale. Si fece coraggio e chiamò. Il telefono

squillò qualche volta, poi rispose una donna. Era una voce annoiata, una di quelle che non si trattengono un secondo in piú del necessario.

– Centralino, desidera?

– Pronto signorina, buonasera mi scusi vorrei chiedere una cosa non so se è possibile sono molto preoccupato c'è una mia amica che non riesco a trovare da qualche giorno, non vorrei, ecco io ho paura che le possa essere successo qualcosa, non è che c'è stato qualche incidente tra lunedí e oggi, lei è giovane io...

– Un attimo, – lo fermò lei, trattando quelle parole disperate come una cosa fra le altre. Livio sentí partire una sequenza elettronica di note che formava una famosa melodia, e una voce preregistrata che a intervalli regolari diceva di restare in linea. Passarono molti minuti. Ogni volta che la musichetta ripartiva, Livio si diceva questa e poi attacco. Avrebbe voluto restare al telefono solo per il gusto di prendere a parolacce chi si fosse degnato di rispondere. Ma sapeva bene che l'unico modo di ottenere qualche informazione dall'ospedale era avere pazienza ed essere gentile, il piú educato che poteva.

All'improvviso la musica si interruppe.

– Pronto?

– Sí, sí, – rispose Livio, con le note di plastica ancora nelle orecchie.

– Pronto, – ripeté quello. Era un uomo, pareva gentile.

– Buonasera. Mi scusi, prima ho chiamato il centralino, non so chi mi hanno passato, abbia pazienza.

– Qui è il pronto soccorso.

– Il pronto soccorso, sí. Senta io insomma ho un problema avrei bisogno che mi aiutasse, se può.

Dall'altra parte, quello sembrò sistemarsi la voce. Si era fatta piú quieta, ancora piú gentile.

– Prego.

Livio si sentí meglio.

– Dottore io sono molto in pensiero c'è una mia amica che non riesco piú a trovare ho paura che le sia suc-

cesso qualcosa, un incidente forse, non so, magari ho
sbagliato a chiamare voi ma mi chiedevo se potevate
dirmi se per caso in questi giorni l'avete soccorsa, lei è
giovane ha trentun anni i capelli rossi è molto bella la
prego mi dia una mano.

L'altro ci mise qualche secondo per riordinare tutte
quelle parole, poi rispose.

– Senta, mi dispiace. Non posso dare informazioni
del genere, tanto meno al telefono.

– Dottore sono tre giorni che non la trovo, la prego
se l'ha vista me lo dica.

– Guardi, forse è meglio se va alla polizia.

– Io non sono, insomma non voglio pensare che sia
scomparsa non è il tipo di donna che, e poi non vorrei
metterla nei guai con la legge inutilmente io insomma
speravo che potesse aiutarmi lei.

Quello fece un lungo respiro. Livio ebbe l'impressione che si passasse l'apparecchio dall'altra parte.

– Me la descriva di nuovo, – disse, facendo cadere
le parole fra due punti di silenzio. Livio andò velocissimo.

– È rossa di capelli, piuttosto alta, giovane, ha trentun anni, ne dimostra di meno, porta sempre una collanina d'oro molto sottile con un piccolo pendaglio a
goccia, poi ha anche qualche lentiggine.

L'altro fece passare qualche secondo, poi rispose.

– Può stare tranquillo. Di incidenti gravi negli ulti-
mi tre giorni ne abbiamo avuti soltanto due, e la sua
ragazza non è tra quelli.

Livio sentí la fronte che diventava fresca.

– Davvero? – fece, quasi urlando.

– Davvero, davvero.

– Dottore, io non so che dire, lei è una bravissima
persona, mi scusi se l'ho trattenuta.

– Non sono un dottore, sono un infermiere.

Livio si scusò. Lo ringraziò di nuovo e attaccò.

Si alzò dalla poltrona che aveva voglia di saltare.
Quella voce nelle orecchie che ripeteva è colpa tua, è
colpa tua, adesso finalmente taceva. Quale altro dolo-

re, quale infelicità, quale perdita avrebbe potuto uguagliare quello che aveva appena passato. Fosse dovuto venire il peggiore degli accidenti, sarebbe stato uno scherzo. Che leggerezza, che pace immensa, adesso. E tutto perché aveva avuto la fortuna di imbattersi in una brava persona. Un infermiere, guarda tu, poi dicono. Neanche un dottore sarebbe stato cosí sensibile. Meno male che c'è della brava gente al mondo, come avrei fatto se...

All'improvviso Livio cambiò colore, manco avesse visto la morte. Non fece in tempo a capire quello che gli stava succedendo che si ritrovò addosso lo stesso peso di prima. Tutto quel benessere, la gioia di saperla salva anche se lontana, se n'erano andati via in un attimo. Da un momento all'altro, aveva realizzato che il fatto che al pronto soccorso non l'avessero vista non significava poi molto. E se fosse finita con la macchina da qualche parte, e non l'avessero ancora trovata? Se l'avessero aggredita, le avessero fatto chissà che cosa, e l'avessero buttata, o nascosta, da qualche parte? Le cronache sono piene di casi del genere.

Corse di nuovo al telefono, e riprese a chiamare. Lasciava squillare finché sentiva il suono di occupato. Com'era felice, solo pochi minuti prima.

Che restava ancora da fare? Tornare a casa sua e buttare giú la porta? Provare a entrare da qualche altra parte? E per trovare che cosa, poi? Non voleva neanche pensarlo. Chiamare la polizia? Quella era l'ultima delle soluzioni.

Aveva posato il telefono e stava per fare il numero dell'agenzia, quando gli venne in mente che poteva ancora cercare la macchina. Chiuse a chiave il negozio e si avviò di nuovo verso casa di Dorina. Era molto stanco. Camminando pensava che se pure avesse trovato la macchina, molte altre ipotesi sarebbero rimaste aperte. Ma era pur sempre qualcosa.

Sotto casa di Dorina la macchina non c'era. Controllò anche nelle strade vicine. Cercarla nei paraggi dell'ufficio era inutile, Dorina andava sempre a piedi al lavoro proprio perché era difficilissimo parcheggiare da quelle parti.

Lo prese uno sfinimento che lo portò a riflettere con
economia. In fondo abbiamo soltanto litigato. Perché
dovrebbe essere successo qualcosa? Non vuole vedermi, è cosí semplice. Sarà da un'amica, magari in un palazzo qui intorno. Forse vuole dimostrarmi quanto è
importante. Certo che è proprio una stronza se mi fa
stare cosí per insegnarmi a campare. Tu comunque ti
devi dare una calmata, che intenzioni hai, vuoi farti
portare al manicomio? Va bene, non la trovi, e con questo? Avrà pure il diritto di sparire dalla circolazione,
di andare a farsi fottere da chi vuole e dove vuole, se
le dice cosí. E allora se vi lasciate che fai? Ti alzi tutte le mattine chiedendoti se è viva o morta? La lavanderia chiusa per lutto, dici? Ma la vuoi finire o no?

Tornò al negozio che era quasi l'ora di chiusura.
Mentre girava la chiave nella toppa sentí suonare il telefono. Si precipitò a rispondere.

Era Laura. Sembrava preoccupata.

– Dove sei stato? È tutto il pomeriggio che ti chiamo.

– Mi sono allontanato con quel cliente che ti dicevo. Aveva un po' di tempo da perdere, cosí l'ho portato da Lorenzi. Devo lavorarmelo bene, forse prenderà parecchie cose.

– Va bene, va bene, potevi avvertirmi, almeno.

– Ma perché, è successo qualcosa?

– No.

– E tu mi fai queste sparate per niente? Mi dovrei
preoccupare di chiamarti ogni volta che mi allontano
cinque minuti?

– Non è questo, è che...

– Cosa? È cosa?

Laura non parlò piú.

– Ci vediamo a casa, – fece Livio. E attaccò.

Si distese appoggiandosi alla spalliera della poltrona
e fece un lungo respiro.

Che stronzo, che stronzo che sono.

Dorina, Dorina, che devo fare. È rimasta solo la po

lizia. Una telefonata anonima? Quelli neanche mi cre-
dono. Ci devo andare. Devo decidermi e andare. Domani, pensò, domani. Un altro giorno ancora.

23

– Non fartelo ripetere, – disse Laura serrando la voce mentre portava i piatti a tavola. Livio stava cercando nella gazzetta fra le brutte notizie, e non la sentí neanche. Martina le rispose continuando a tenere l'orecchio sulla tavola.

– Perché, che fa se sto cosí?

– Tu comincia a levare la testa dal tavolo, che poi te lo spiego.

C'era l'insalata di pasta, Livio riconobbe l'odore del basilico e del parmigiano a scagliette. Piegò il giornale, si allungò verso il ripiano della dispensa e lo posò.

– Come mai hai preso la gazzetta? – disse Laura mentre faceva segno a Martina di stare dritta.

Livio la guardò interdetto.

– Cosa?

– La gazzetta. Non ti è mai interessata, la cronaca locale.

– Cosí, oggi mi andava, – rispose sistemandosi il tovagliolo sulle ginocchia.

Guardò i maccheroni nel piatto, e cominciò a essere nervoso. Costretto dalla vicinanza imposta dall'occasione della tavola, il corpo avrebbe potuto tradire facilmente la preoccupazione che lo teneva. L'unico modo di combattere il pensiero di Dorina era provare a mangiare, anche se non ne aveva nessuna voglia. Con i denti estremi della forchetta raccolse due maccheroni sollevandoli dall'interno, senza trapassarli. Masticò una volta sola e aspettò il sapore.

Mangiare, pensò. Metti le cose in bocca, le fai a pezzi, le maciulli con i denti, diventano una poltiglia impastata di saliva che poi s'ingoia.

La polizia. Devo andare. Che aspetto ad andare.

A un certo punto Laura gli rivolse la parola senza guardarlo. Martina aveva messo il gomito sul tavolo.

– Lo sai chi mi ha chiamato stamattina al negozio? – disse continuando a fissare la bambina, aspettando che si sentisse osservata. Livio spostava i maccheroni nel piatto.

– Quella dell'agenzia, là. Dice che la tesi è pronta.

Livio restò immobile sulla forchetta. Aveva cambiato colore. Come uno vestito di tutto punto che ha appena ricevuto una secchiata d'acqua sporca.

Se ne accorse Martina. Laura aveva ancora lo sguardo impegnato su di lei, e continuava a parlare con il marito buttandogli giusto qualche occhiata di tanto in tanto.

– Ma lo sai che mi ha detto? Che voleva spedirmela. Come spedirmela, ho detto io. Mica abito in un'altra città. Ti rendi conto, ho dovuto insistere per farmi dare un appuntamento e andarmela a prendere. Manco mi facesse un piacere, cose da pazzi.

Livio socchiuse gli occhi. L'ansia che gli era stata attaccata addosso tutti quei giorni veniva via come niente. Era passato cosí in fretta dal tormento alla pace che quasi non sentiva la differenza. Ebbe l'impressione che qualcosa dentro di lui gli ripetesse a cantilena le parole di Laura, come volesse trattenerle prima che lui ne dimenticasse il tono, le pause, la pronuncia.

Finalmente Martina si accorse che Laura la stava fissando, e levò il gomito dal tavolo. Allora Laura poté dedicare gli occhi a Livio. Stava immobile, la forchetta poggiata alla mano. Il piatto pieno davanti dava al suo incantamento un aspetto inquietante, come se l'intelletto lo avesse abbandonato. Una fissità degli occhi che si trascinava troppo a lungo per venire da una semplice distrazione.

– Livio, che hai? – domandò Laura quasi alzandosi dalla sedia.

Lui rispose senza muovere le labbra.

– No, mi sono incantato.

Strinse la forchetta e l'affondò piú volte nella pasta. Si riempí la bocca e masticò come lo avesse preso una fame nervosa, distruttiva. Laura e Martina lo guardarono insieme. Poi si alzò da tavola e andò in bagno. Mentre usciva dalla cucina, Martina ebbe l'impressione che stringesse i pugni. Lo aspettarono qualche minuto, poi Laura si alzò per vedere come mai ci metteva tanto. Martina rimise subito il gomito sul tavolo. Laura stava per bussare alla porta del bagno. Restò col pugno a mezz'aria.

Le era sembrato di sentire un singhiozzo.

24

Livio e Laura camminavano sotto gli archi del borgo stretto, aspettando di trovarsi davanti all'agenzia di Dorina da un momento all'altro.

– Non ti ricordi proprio il numero? – chiese Laura.

– No ma che fa, tanto ci passiamo davanti, – rispose lui, e pensò che volesse metterlo alla prova.

Quando gli aveva chiesto di accompagnarla, Livio aveva pensato che sospettasse qualcosa, e le aveva detto subito di sí, accorgendosi che, in fondo, l'idea che potesse capire non gli importava piú di tanto. Avrebbe rivisto Dorina, l'avrebbe rivista quel giorno.

C'era poca gente per strada, i negozi stavano ancora aprendo. Per di piú, a quell'ora le macchine non potevano entrare nel borgo. Livio camminava con quell'emozione in pancia, sentiva l'odore fresco dei mattoni dei vecchi archi e pensava al telefono che suonava a vuoto, al bambino curioso con la palla, all'infermiere gentile, al biglietto sulla serranda del lavandaio. Non gli sembrava vero di essere sopravvissuto a quella giornata.

A un tratto Laura gli disse che erano arrivati. Livio sentí il cuore che inciampava. Buttò l'occhio al negozio di Mario Santonicola. Era ancora chiuso, ma il biglietto non c'era piú.

Laura suonò il campanello. Si sentí uno scatto che apriva elettricamente la porta, il sistema delle gioiellerie. Livio fece passare avanti lei.

Dorina era alla scrivania, davanti al computer. Men-

tre loro entravano restò concentrata sullo schermo.
Chissà se era capitato o l'aveva previsto. Era diversa.
Aveva tagliato molto i capelli. Senza trucco, come sempre. Portava un maglioncino a girocollo di filo, a righe
sottili bianche e blu. Livio trascinò lo sguardo su di lei
per qualche secondo, e capí di essere rimasto indietro.
I capelli corti, il maglioncino che non le conosceva,
quell'aria cosí minimamente diversa, erano i segni di
tanti minuscoli cambiamenti venuti quando lui non
c'era. Forse erano poca cosa, forse non erano importanti, ma erano suoi. Ne era stato privato. Non lo sop-
portava.

Si fecero avanti. Laura arrivò quasi ad appoggiarsi
alla scrivania e si sistemò la borsa sulla spalla. Lui le
stava dietro di un passo. Dorina tolse gli occhi dallo
schermo come avrebbe fatto per dei clienti qualsiasi.
Bravissima.

– Buongiorno, – disse. E si alzò in piedi.

– Salve, – salutò Laura.

Livio la guardò. Pronta, lei tese la mano a Laura.

– La tesi su Twain, vero? – continuò.

Per Livio fu come un pugno in faccia. Non aveva
avuto la minima reazione, vedendolo.

– Sí infatti, abbiamo parlato al telefono, si ricorda? – disse Laura.

Livio guardò sua moglie con stranezza. Aveva riconosciuto il tono che usava quando qualcuno le riusciva
simpatico.

– Come no. Anzi, mi scusi se ho un po' insistito per
spedirgliela, ma sarei dovuta partire oggi e volevo as-
sicurarmi che la ricevesse.

Partire? Come partire? No, sta mentendo.

Livio si guardò intorno cercando qualcosa che gli im-
pegnasse gli occhi. Fortunatamente c'era lo schedario
antico. Si mise a studiarlo come faceva quando era in-
teressato a comprare.

Dorina aprí la cassettiera e tirò fuori la tesi. La teneva in una cartellina di plastica, i fogli erano ancora
sciolti.

– Se vuole posso vedermela io anche per la rilegatura, – disse Dorina passandole la cartella.

Laura sfogliò due o tre pagine prima di rispondere. Sembrava soddisfatta. Di piú. Entusiasta.

– La ringrazio, c'è il marito di una mia cara amica che lo fa di mestiere. Eravamo già d'accordo che se ne sarebbe occupato lui, non vorrei che si offendesse.

Sí, le era proprio simpatica. E poi, alla faccia che caratteri aveva scelto. Pareva proprio un libro.

Mentre Laura sfogliava, Livio cercò di incontrare di nuovo gli occhi di Dorina. No, lei non glielo avrebbe mai permesso. Si era chiusa dentro e sembrava non fingesse neanche, tanto era naturale il suo comportamento. Lo trattava come fosse stato il marito della cliente. Non era, il suo, un semplice fare attenzione a che nulla trapelasse. Era molto di piú, era un'indifferenza, un distacco, un'impermeabilità assoluta di tutta la sua persona, il contegno di chi appartiene a una vita diversa e compiuta.

Livio si ritrovò addosso l'umiliazione a cui Dorina lo aveva abituato. Si stava ripetendo, tale e quale, il giorno in cui si era presentato con Martina nel suo ufficio. Avrebbe voluto che lo guardasse un'altra volta almeno, perché si accorgesse di quanto i suoi occhi fossero felici di rivederla. Sarebbe stato capace di tutto, anche di strappare la tesi di mano a Laura e raccontarle ogni cosa, se solo lei gli avesse fatto un segno, una smorfia, un palpito che gli comunicasse il bisogno di un'iniziativa. Ma Dorina aveva già ripreso a comportarsi come al solito. Si era chiusa nel suo silenzio, nella sua indipendenza insopportabile, in quell'atteggiamento naturalmente ostinato a non voler mai chiedere, interferire, provocare alcun cambiamento nella vita di Livio. E lui era di nuovo nelle sue mani. Felice di averla ritrovata, ma infelice un'altra volta. Dipendente da una donna che accettava le condizioni del loro amore eppure era l'unica a vincere. Pensava: dov'è che sbaglio, che cosa faccio di male per dovermi ingoiare sempre lo stesso rospo. Ho sofferto come un cane per

la sua mancanza, ho pensato le cose peggiori, ho ri-
schiato di crollare, di raccontare tutto a mia moglie, e
adesso guarda come mi tratta. Come può ignorarmi cosí. Perché devo continuare a mangiarmi il fegato a questo modo. Perché non mi decido a fare l'unica cosa possibile. Lo so benissimo che non può continuare, è durata anche troppo. E poi eccola qui, sana e salva, ti puoi
mettere tranquillo, imbecille che sei a preoccuparti tanto. Vuol partire, dice? Che parta. Faccia pure quello
che vuole. Non ha bisogno di me. Martina, amore mio,
quanto bene che ti voglio.

Provava e riprovava, ma per quanti sforzi facesse,
Livio non riusciva a venire a capo di quella condizione
in cui pure si era stancato di vivere. Piú ci sbatteva la
testa e piú s'invischiava. E piú le cose si ripetevano,
piú tornava indietro e cominciava daccapo.

C'era un solo pensiero che ogni tanto sbucava da
quel groviglio di contraddizioni e gli dava un'impressione di chiarezza, come una voce che suggeriva, per
convincerlo che la verità era molto piú breve di come
lui l'avrebbe voluta.

Diceva tre parole, tre parole soltanto.

Sono io l'amante.

25

– Potevamo farne a meno, – disse Laura infilando la fattura in borsa.

– Vuol dire che ce ne ricorderemo alla prossima tesi, – rispose Dorina, e le strappò un sorriso.

– Auguri, – le disse per saluto, e cliccò sul mouse.

Laura ringraziò con trasporto e raggiunse Livio sulla porta. Lui disse semplicemente buonasera. Non vedeva l'ora che quella tortura finisse.

Appena fuori, Laura diventò identica a Martina quando vedeva le giostre da lontano. Ci mancava poco che chiedesse il gelato.

– Hai visto che bella è venuta?

Livio sorrise.

– Non vedo l'ora di vederla rilegata. Che dici, la faccio fare blu o rossa?

Livio le cinse le spalle con il braccio e s'incamminarono. Adesso ricominciava a respirare e a riflettere. Forse era colpa sua. Forse aveva fatto male a presentarsi anche lui con Laura. In fondo doveva aspettarselo, con Martina era successa la stessa cosa. E poi a pensarci bene non è che Dorina non lo avesse degnato. Il fatto stesso che cercasse cosí insistentemente di evitarlo, semmai voleva dire proprio il contrario. Anzi, ora che mi ricordo m'è sembrata a disagio quel momento che.

Tutt'a un tratto Laura si fermò, lo tirò verso di sé e gli schioccò un bacio sulla bocca, spingendo forte, come si fa con i bambini quando da un momento all'altro diventano irresistibili. Poi gli diede uno strattone, e restò a guardarlo con le mani aperte, come trattenendo l'impulso di avvinghiarlo ancora.

– Hò! – fece Livio.

Laura sorrise.

– Ti voglio bene lo sai?

– E come ti viene? – disse lui con le labbra che ancora gli pizzicavano.

– Cosí. Perché, ti devo mandare una lettera prima?

Livio le accarezzò la testa. Com'era familiare il suo viso, quanta tenerezza ispirava. Ma com'era inutilmente bello al confronto di quello di Dorina.

– È bello vederti contenta.

– Sí, adesso mi sembra tutto perfetto.

– Eh, beh. Stai per diventare dottore.

– No, non è solo questo.

Livio riprese il passo. Senza volerlo, si stava sottraendo a quell'atto impulsivo destinato cosí direttamente a lui. In qualche modo, il bisogno di Laura di aprirsi, di dirgli, di gratificarlo, lo disturbava. Non voleva altri regali da lei.

– Lo sai, sono molto orgogliosa di te.

– Di me?

– Sí, di te. Per quello che hai fatto in questo periodo. Sei stato molto presente.

Livio si sentí rimpicciolire. Gli sarebbe bastato farla franca. Ma la sua fiducia no. Era insopportabile.

– A me non sembra molto.

– Non è vero, lo sei stato invece. Sempre cosí discreto, paziente.

Livio guardava avanti.

– Sai, l'altra sera ero molto stanca, non riuscivo quasi piú a leggere. Tu eri in camera di Martina, vi sentivo ridere. Allora mi sono accorta di essere felice. Pensavo che fosse un momento, sai quelle belle cose che passano. Invece durava. Sono una donna fortunata. Forse non te lo dico quanto dovrei.

Livio le buttò di nuovo il braccio sulle spalle e se la tirò vicino prima che potesse vederlo.

– Ma perché corri? – chiese Laura.

– Oh scusa, non me n'ero accorto.

Piano, cavolo. Piano.

– Quando due persone stanno insieme da tanto tempo, – continuò Laura, – si dimenticano l'educazione e la riconoscenza. Diventa tutto sottinteso.

– Infatti. Ma è giusto cosí, – rispose finalmente lui.

– Perché?

– Eh, t'immagini se tu mi ringraziassi tutte le volte che vado a prendere Martina al posto tuo o se io ringraziassi te ogni volta che cucini?

Laura ci pensò un po'.

– Forse hai ragione tu. Comunque te lo ripeto, – disse, – sono orgogliosa di te.

– Lo dici perché sei contenta.

– No, non è vero.

– Ma sí, non c'è mica niente di male. Guardati, sei una pasqua. È il buonumore che ti fa vedere tutto piú colorato.

Laura voleva contraddirlo, ma la sua osservazione le sembrò ragionevole e continuò a camminare senza aggiungere altro.

Erano passati trenta, quaranta minuti. Dorina si era alzata dal divano ed era tornata al lavoro, anche se le facevano un po' male gli occhi.

Suonarono. Spense il computer senza neanche uscire dall'applicazione.

Non aveva pensato a lui quando aprí la porta. Se lo trovò davanti con le braccia appese lungo i fianchi. Non era il marito della signora che fino a mezz'ora prima fissava il suo schedario per nascondersi. Era sfatto, era quello che era. Aveva in faccia tutti i giorni passati senza di lei. Non parlava.

Dorina strinse forte la maniglia. Lui entrò. Fu lei a chiudere la porta. Il ricordo di quel rumore lo raggiunse come una speranza. Fammi vedere, avrebbe voluto dirle. Dimmi dove ti ho fatto male.

Arrivò fino alla scrivania, forse per dimostrare a se

stesso che poteva ancora farlo. Si voltò. Non la vide. Si era rannicchiata nell'angolo della porta ed era scivolata giú, come una gazza ferita.

Un dolore che strappa, uno spasimo al petto. Si butta su di lei e l'abbraccia. È piccola, il suo corpo la raccoglie completamente. Non sta piangendo, respira solo un po' a fatica. L'aiuta ad alzarsi, la porta sul divano.

– Amore, – le dice. – Amore.

Le tocca i capelli, saluta quelle ciocche corte che ancora non conosce, le bacia gli occhi e la fronte, la tocca. Dorina gli prende le mani, se le poggia sul seno e preme. Chiude gli occhi. Sorride e piange. Provano a baciarsi ma non si può. Appena le labbra si incontrano, l'amore deraglia. Gli occhi pretendono, le mani vogliono sentire. Devono separarsi, e sorridere. O stringere. E poi tenersi, e tenersi ancora. L'unico modo di quietare quel miscuglio di gioia e di sofferenza.

26.

Livio tornava a casa passando tra la gente con la felicità nascosta sotto la giacca. L'aria gli dava alla testa.
La luce lo feriva, andava in cerca dell'ombra. Era pieno dell'odore di Dorina. Aveva considerato il rischio
che Laura se ne potesse accorgere avvicinandosi, ma
aveva preferito non lavarsi.

Non sapeva come sarebbe andata a finire, e neanche
voleva saperlo. Questo momento, adesso. Soltanto questo m'importa.

Passò davanti a una libreria. Da quanto tempo non
leggeva. Quanti nomi nuovi. Non ne conosceva quasi
nessuno. Molti libri sulla mafia. Che palle, pensò.

In un angolo della vetrina, su un piccolo ripiano, riconobbe *I mandarini*. Era piuttosto malandato. Aveva
fatto la piega sulla pancia, le pagine si erano divarica-
te a fisarmonica e pendeva in avanti come avesse avuto la testa china. Che modo di vendere un libro, si disse. Ma Dorina lo cercava da tanto.

Il commesso glielo tirò fuori dalla vetrina, era l'unico che avevano. Ci soffiò sopra, poi si fece passare un
panno dalla cassiera e gli diede una buona spolverata.
Livio chiese se ne avevano un'edizione piú costosa.
C'era solo quella.

– Ma è maltrattato, – disse al commesso.

– Le faccio qualcosa in meno, – rispose quello.

Lo comprò.

Appena Livio aprí la porta di casa si trovò Laura da-

vanti. Evidentemente aveva riconosciuto i passi per le
scale. Gli faceva segno di non parlare, e sorrideva. Lo
tirò per il braccio. Livio si prestò subito al gioco, e le
andò dietro camminando sulle punte. Un momento dopo si sentí prendere la mano. Un'abitudine che Laura
aveva conservato intatta, anche nel matrimonio.

Un amico che aveva iniziato da poco una nuova con-
vivenza gli aveva raccontato che dopo i primi mesi della sua relazione si era scoperto a non soffrire piú la vicinanza di sua moglie. Livio era rimasto impressiona-
to quando si era sentito confidare che a volte, quando
lei lo sfiorava uscendo dalla stessa stanza o passando-
gli vicino per un motivo qualsiasi (avevano smesso di
avere rapporti – si dice cosí quando è finita – già da
prima che lui incontrasse la donna per cui poi se n'era
andato), lui ne provava addirittura ribrezzo. Com'è
possibile, si chiedeva Livio, arrivare ad avere repulsio-
ne per qualcosa che si è amato? Laura potrebbe mai ri-
pugnarmi? Gli sembrava di no. Ma per quanto la cru-
dezza del suo amico lo inquietasse, ne ammirava la sincerità. Quello ne parlava con pacatezza, come stesse
spiegando il decorso di un male. Diceva che addormentarsi con lei e sentirne l'odore e il respiro, addirittura il fatto semplice di entrare nello stesso letto era
una condanna, perché – Livio aveva conservato intatta la frase – «Non ha senso dividere uno spazio cosí in-
timo quando si è perduto il desiderio».

Ma tu glielo hai mai detto, aveva chiesto Livio. Certo che no, aveva risposto quello, ma penso che l'abbia
capito e questa, te lo giuro, è l'unica cosa che mi rimprovero. Dopo un po', anche stare seduto a tavola con
lei mi faceva diventare nevrastenico. Mi stava antipa-
tica. Quello dell'insofferenza al corpo della moglie, gli
aveva detto per concludere, è un sintomo infallibile della fine del matrimonio e della consegna definitiva a
qualcun altro.

Credo che tu abbia ragione, gli aveva risposto Livio
che aveva avuto l'impressione di sentire una frase pre-
cotta. Per lui comunque non era cosí. La vicinanza di

Laura, se non gli provocava piú alcun desiderio, in compenso continuava a trasmettergli la tenerezza di sempre. E quando lei prendeva l'iniziativa, Livio non si sentiva di respingerla. Non lo faceva con trasporto, e forse lei se n'era accorta. Ma non era un sacrificio. Fare l'amore con lei non era poi molto diverso da darle il primo bacio la mattina.

Entrarono nel soggiorno.

– Ti ricordi la cicocca? – chiese Laura.

– La che?

– Shh.

Livio si guardò intorno cercando la sorpresa. La Tv faceva un gran casino. La luce era spenta, ma a parte questo, niente di diverso.

– Come, non ti ricordi la cicocca? – ripeté Laura a bassa voce.

– E no, non me la ricordo la cicocca.

– Quel carosello vecchio: *Ci-ci-ci, ci-ci-cicocca...*

Aiutato dal motivo, Livio sentí un certa mescolanza, ma non ricordò. Laura lo tenne fermo con la mano, recuperò il telecomando dal divano e abbassò il volume quasi fino a zero. Allora Livio si accorse che sotto la finestra c'era una grossa scatola di cartone, quello degli elettrodomestici.

– L'hai visto, – gli sussurrò Laura avvicinandosi.

– Sí, e allora?

– I vicini. Hanno preso la lavatrice nuova.

Allora Livio capí, ma fece finta di niente. Laura lo tirò verso la scatola. Giocava con le mani e con la bocca, faceva tanti piccoli scatti, come le fosse venuto un singhiozzo che voleva assecondare.

Si affacciarono. Nella scatola c'era Martina, si era portata dentro il cuscino. Ci stava rannicchiata sopra. Aveva tolto le scarpe, una l'era rimasta in mano.

Dormiva.

27

– Sali sali, ho quasi finito, – disse Dorina al citofono. La serratura scattò elettricamente. Livio entrò e accompagnò il portone con la mano. Aspettò l'ascensore. Era già in discesa. Uscí un signore che riconobbe subito. Era quello che aveva incontrato davanti al citofono il giorno che era venuto a cercarla.

– Buongiorno, – gli disse. – Sta bene?

Quello lo guardò con sospetto. Lo aveva riconosciuto o no? Lui comunque si divertí a salutarlo.

Trovò la porta socchiusa. Entrò.

– Ci metto un momento, – disse lei ad alta voce dalla stanza da letto.

Livio appoggiò il libro sul bracciolo del divano, in modo che Dorina lo vedesse subito. Si guardò intorno. Era a casa. Entrò in soggiorno. Il divano di Dorina, lo scrittoio, le tende, il telefono, la rubrica. Ogni cosa gli dava il benvenuto.

Dovevano uscire, ma si levò la giacca. Si affacciò sul corridoio per controllare se Dorina era ancora di là. Via libera. Tornò in soggiorno, si avvicinò al muro e lo percorse con le mani fino alla tenda. La accarezzò e ci accostò la bocca. Poi si sedette alla scrivania e ci poggiò sopra la testa. Fino all'altro giorno credeva di aver perso tutto. Si sedette in poltrona e lasciò andare lentamente la schiena. Sarebbe stato bello addormentarsi, adesso. Dorina lo raggiunse dopo qualche minuto. Livio aveva già recuperato i suoi capelli corti.

Col libro, andò come aveva previsto. Dorina lo vide subito. Lo scartò con una sola mano e la bocca. Con
l'altra teneva quella di Livio, e non voleva lasciarla.
– I *mandarini*!
Lo sfogliava succhiando l'aria. Fu cosí contenta che
volle portarselo dietro.

Il ristorante era raccolto e, come al solito, fuori mano. L'ambiente era rustico, ma molto piú esclusivo di
certi locali decaduti del centro. Tre vani che si legava-
no uno all'altro creando una sequenza di bell'effetto,
che si coglieva molto bene dall'ingresso. I mattoni di
terracotta alle pareti e nei soffitti a volta, i tavoli di noce senza le tovaglie, le sedie con la paglia e le brocche
di ceramica, tutto sembrava combinato per l'acquolina in bocca. Livio chiese che portassero subito del vino. Il cameriere consigliò di ordinare presto, che il locale si sarebbe riempito entro poco tempo. Dorina tirò
fuori il libro dalla borsa e lo posò sul tavolo. Livio beveva continuamente e teneva gli occhi sul menú che
aveva messo in piedi davanti alla bottiglia, senza leg-
gerlo. Né lui né Dorina avevano voglia di parlare. Stare insieme nella stanchezza, solo quello. E guardarsi,
ogni tanto.
Cominciò ad arrivare della gente. Livio si girava intorno, specie quando sentiva aprire la porta (ogni cliente che arriva è un intruso per chi è dentro), e si versava il vino un sorso per volta. Dorina aveva appena cominciato la bruschetta quando si accorse che Livio la
stava fissando. Allora si fermò, e con gli occhi gli chiese. Lui non parlò, e continuò a guardarla. Dorina pensò che le fosse rimasta una briciola, da qualche parte
sulle labbra. La cercò con la lingua. Non c'era niente.
Il rossetto, forse? Aveva messo solo un po' di lucida-
labbra. Riprese a mangiare. Livio non le toglieva gli occhi di dosso. Dorina masticava lentamente e guardava
altrove, aspettando che si decidesse a smetterla. Ma lui
continuava. Sembrava che ci avesse preso gusto. Dori-

na aveva ancora lo stesso boccone in bocca, e si ripa-
rava dietro la bruschetta. Non masticava e non in-
goiava. Ogni movimento, il piú piccolo gesto la faceva
sentire terribilmente goffa. Provò a rimanere immobile. Peggio ancora. Livio la stava braccando. Era un gioco? Da dove si trovava lei non sembrava tanto divertente. Quel sentirsi osservata con tanta insistenza, da
cosí vicino per di piú, la possibilità che lui, sofferman-
dosi a guardarla, scoprisse che non era poi un granché,
la metteva in uno stato di agitazione che era molto di
piú di un semplice imbarazzo. Come se dal giudizio di
Livio, in quel momento, dipendesse ogni sua certezza.
Ma c'era qualcosa di piú contorto, che voleva persua-
derla, attirarla a sé. Come quando sei solo in casa e senti un rumore. Hai paura, ma vuoi andare a vedere. Cosí si sentiva Dorina. Si accorgeva che proprio quel dubbio, quel non sapere, quel solletico, quel pudore che le
faceva detestare il suo corpo, per chissà quale curiosa
ragione cominciava a piacerle. Le tirava fuori un istin-
to, un aspetto della sua natura che la donna compita
che si portava addosso aveva imparato a tenere sotto
controllo. Forse Livio non lo sapeva neanche, ma aveva innescato una tensione, una corrente che la violava,
e la spogliava di ogni conquista. Nella confusione di
quelle risposte ugualmente possibili (Che cosa pensa di
me? Com'è bella? Come sono fortunato ad averla? Oppure: Tutto qui? Non è molto meglio mia moglie?), nel
chiedersi se l'effetto che quell'allusione aveva su di lei
fosse un'esca gettata volontariamente o la conseguen-
za imprevista di un qualunque gioco fra amanti, quando senza accorgersene si avvicinano ai significati piú
veri dell'esistenza, e anzi proprio in quel dubbio, nella rincorsa inutile di se stessa che intanto continuava a
precipitare senza trovare un solo punto fermo a cui ap-
pigliarsi, tanto lo sguardo di lui incombeva, aspettava,
affondava e toglieva, come un rimorso, un senso di colpa, Dorina provava insieme una purezza, una parte di
sé che non poteva piú tenere a bada, una spinta che voleva liberarla da qualcosa. Perché era cosí turbata? Do-

ve voleva arrivare Livio? Aveva davvero qualcosa in
mente? E se invece fosse stato tutto un equivoco, un
gioco che lei stava caricando di doppi fondi che non
aveva? Quale che fosse la verità, Dorina era vinta. Forse, non era nemmeno importante sapere la risposta.
Sentiva che l'unico modo per far finire quella tensione era cedere, spalancarsi, lasciare che Livio facesse di
lei quello che voleva, magari lí fuori, in macchina, o
per strada, dietro il ristorante, perché no, in piedi, per
terra. Si arrese e lo guardò in faccia.

Non era come pensava lei. Non c'era nessuna viri-
lità nei suoi occhi. Non voleva sopraffarla. Era proprio
il contrario. La guardava come per chiederle dimmi che
è vero, dimmi che ci sei ancora. Come uno scampato a
un brutto male che non si è ancora convinto della gua-
rigione, torna nel mondo, fa le cose che fanno tutti, ma
non ha fiducia di aver ripreso completamente a vivere.
Dorina sentí che il corpo si acquietava. Gli prese la mano e se la portò sotto il tavolo. Rimasero nascosti lí,
dove nessuno, soltanto il gatto del padrone, avrebbe
potuto vederli.

Passarono alcuni minuti, e tra loro tornò la pace che
c'era prima. Dorina riuscí a finire la bruschetta. Prese
il bicchiere di Livio. Diede un piccolo sorso e guardò
nella trasparenza colorata del vino. In quel momento
lo perse. La sua mano si era inebetita. Non la toccava
piú. Posò il bicchiere e lo guardò. Livio si era girato
verso l'entrata, e poi di scatto si era rivolto a lei. La
mano si era fatta umida.

C'era un gruppo di persone, all'ingresso. Certamente Livio conosceva qualcuno, perché aveva cambiato faccia. Si era recintato, serrato in corpo. Gli era
venuta un'energia sorprendente rispetto alla debolez-
za di poco prima. Gli occhi erano in allarme. Tutto in
lui funzionava. Doveva scegliere un comportamento,
e in fretta.

Dorina guardò fra quella gente sulla porta, cercando di individuare l'estraneo che le stava rovinando la

serata. Lo riconobbe subito. Gli altri si comportavano normalmente, lui no. Aveva un atteggiamento imbarazzato; non proprio rigido, ma mostrava chiaramente lo sforzo tipico di chi cerca di dominare lo sguardo. Si confinava il piú possibile nel suo gruppo, dilungando esageratamente la conversazione con le persone che lo accompagnavano. Che motivo poteva esserci per stare cosí stretto agli altri, come in ascensore, e dedicare gli occhi soltanto a loro, se non l'intenzione di sottrarsi a un incontro? Possibile che l'arredamento, il profumo della cucina, quel posto cosí accogliente, la gente stessa, tutti quei vestiti, quei capelli, quei rossetti, non gli facessero nessun effetto? Non lo attirassero abbastanza da farsi guardare, anche soltanto una volta? Doveva essere lui, per forza.

Quando il cameriere andò incontro al suo gruppo e indicò loro il tavolo, Dorina ne ebbe la conferma. Si era accodato agli altri e li seguiva impaziente di sedersi, di salvarsi definitivamente dall'imbarazzo che lo aveva tenuto sulla porta fino a quel momento. E sí che una volta al tavolo (lontano, fra l'altro, dal loro) non avrebbe piú avuto motivo di sentirsi in difficoltà. Si sarebbe messo definitivamente in disparte, non sarebbero stati piú fatti suoi, avrebbe avuto tutte le ragioni per fare finta di niente.

Fu allora che Livio strisciò. E Dorina, tutto il dolore recente, il telefono che suonava, i suoi capelli corti, l'ospedale, la serranda del lavandaio, l'equivoco di prima, non contarono piú niente.

Alzò la mano e lo chiamò. Dopo un paio di tentativi, quello dovette girarsi. E di malavoglia si avviò verso di loro. Dorina lo osservò mentre veniva. Doveva essere coetaneo di Livio, forse qualcosa in meno. Fisicamente ordinario. Un po' sovrappeso.

– Buonasera, – disse. E nient'altro. Dorina apprezzò.

– Ciao Teo. E Liliana? – domandò Livio cambiandosi d'abito.

– No, sono con dei colleghi. Una promozione.

Dorina si era messa il sorriso per l'imbarazzo. Lí per

lí avrebbe voluto mostrarsi disponibile all'incontro, magari trovare uno spiraglio dove infilare anche lei una parola di circostanza. Però subito si accorse che non aveva voglia di dominarsi, e decise di impiegare il tempo in altro modo. C'era tutto il ristorante intorno. Adesso era proprio pieno. A farci attenzione, aveva una voce. Un suono, un'altezza propria, e dei tempi che si potevano misurare con una buona approssimazione. Guardò qualcuno in faccia e provo a sorridere. Appena si accorgevano di lei si voltavano dall'altra parte. Qualcuno diffidente, qualche altro un po' seccato. Allora Dorina si rese conto che la serata era finita. Si sentí come a una festa quando, mentre ti stai interrogando su di te, sull'aspetto che hai, sulle parole che stai scegliendo di dire, ti accorgi che non c'entri niente, e pensi: se me ne andassi di qui, nessuno mi fermerebbe per domandarmi: te ne vai? E io stessa cercherei di arrivare alla porta senza farmene accorgere. Farei in modo di andarmene e basta. Magari qualcuno, molto piú tardi, quando non è rimasto un solo bicchiere pulito e i posacenere sono colmi, ricapitolando la serata con i pochi intimi direbbe: E cosa là, quella? Ma che, se n'è andata? E quando se n'è andata? Ma tu l'hai vista? E tu? Tu nemmeno? Mi pareva che stesse parlando con te, a un certo punto. Forse qualcuno le ha fatto qualcosa? No, figurati, e perché. Se n'è andata, si vede che le diceva cosí. E sí che è il tipo che se ne sta sempre un po' sulle sue. Poteva anche salutare, però. In fondo era stata invitata. E che modi.

Arrivavano chiacchiere, parolacce di uso tollerato, allusioni e risate. Dorina guardò i vestiti di due coppie sedute poco lontano. Parlavano sottovoce, e si pulivano la bocca sforzandosi di sembrare eleganti. Dorina si soffermò sui colori e gli abbinamenti. Pensò: guarda quanto tempo sprecato. Chissà quante volte si sono chiesti come mi sta, dove ci vado, chi mi guarderà. Adesso sono qui, a che gli servono? Allargò lo sguardo. La lanterna piú grande del locale, quella sulla porta, faceva una luce debolissima, ma sembrava che ce la

mettesse tutta per fare la sua parte. Dorina la guardava con tenerezza. Ma sapeva bene che piú tardi, quando tutti i conti sarebbero stati pagati e il proprietario
che girava fra i tavoli in rappresentanza del buon gusto della sua cucina si sarebbe tolto il doppiopetto per
mettersi a contare i soldi, sarebbe rimasta spenta, in
quella sala buia e vuota.

Dorina si era avvolta in quei pensieri che non avrebbe mai diviso con nessuno, e aveva smesso di ascoltare. Le parole di Livio e del suo amico le arrivavano spar-
pagliate e confuse. Ci fu un momento di silenzio, l'in-
certezza fra il salutarsi o il riprendere. Livio allora parlò
al suo amico rivolgendosi a Dorina. Due, tre battute,
non di piú. Se l'avesse trascinata per i capelli e buttata fuori dal locale, le avrebbe lasciato meno lividi.

– Lei è Dorina, forse la conosci di vista. Ha un'agenzia universitaria dalle tue parti. Ha battuto la tesi a
Laura.

Dorina provò a ingoiare un po' di saliva. Non c'era
niente in bocca. Afferrò per il collo la bottiglia di vino
(un po' ne cadde macchiando la tovaglia) e si riempí il
bicchiere. Lo bevve tutto d'un sorso, poi guardò il fondo. Livio smise di parlare. Anche il suo amico. Dorina
aveva messo le mani sotto il tavolo. L'amico salutò. Livio lo osservò mentre si allontanava e ne apprezzò la
discrezione. Il giorno dopo, probabilmente, gli avrebbe telefonato.

Dorina guardava nel piatto. Livio sapeva che non
era il momento di parlare, e aspettava. Al tavolo vicino, una signora con i capelli cortissimi e un foulard ca-
narino singhiozzò quando il cameriere le portò delle
fettuccine in un piatto ovale molto lungo. Dorina in-
spirò forte a bocca chiusa, poi si fece spazio tra i bicchieri per prendere il libro che aveva posato fra di loro. Lui la guardava senza riuscire a trovarle gli occhi.
Di lí a poco, pensava, le avrebbe chiesto.

Dorina aprí il libro alla prima pagina, quella bianca
prima del frontespizio. La scelse con le dita, come per
assicurarsi che non fossero due sovrapposte, e all'im-

provviso la strappò. Venne via tutta intera, e le si affiosciò in mano. La signora delle fettuccine si girò di scatto. Il cameriere stava riempiendo il bicchiere a un cliente che doveva essere un suo amico, vista la cura con cui lo serviva. Si girò anche lui. Livio la guardò come l'avesse appena conosciuta. Sembrò un fotogramma, poi tutti tornarono a occuparsi della serata. La signora riannodò le fettuccine con la forchetta, l'amico del cameriere si trovò il bicchiere pieno e il brusio intorno ricominciò che aveva già cancellato l'interruzione.

Dorina girò pagina, ma questa volta non scelse. Furono tre, o qualcuna in piú. Le strappò via tutte insieme. Sembrò che il rumore fosse piú lieve, forse perché si era appena sentito. La signora delle fettuccine si girò di nuovo, comunque. Il cameriere no, anche se l'aveva riconosciuto. Probabilmente, ignorare i clienti che litigavano faceva parte del suo lavoro.

Dorina finalmente guardò Livio in faccia. Sembrava addolorato quanto lei. Fissava il pavimento, con le labbra in dentro. Dorina stese la mano su un'altra pagina, si aggrappò ai bordi con le dita e l'accartocciò con tutta la forza che aveva. Il pugno chiuso restò sul libro. La pagina scricchiolava ancora. Livio allora alzò la testa, e le fece sentire il respiro. Dentro la bocca stringeva i denti. Dorina ingoiò. C'era ancora il sapore del vino. La mano le scivolò giú dal libro e si appoggiò sul dorso. Qualcuno, da un tavolo abbastanza lontano, rise sguaiatamente. Poi si unirono delle altre voci, e delle grosse risate. Forse festeggiavano qualcosa.

Dorina tirò fuori dalla borsa la carta di credito e la mostrò al cameriere che da lontano la vide subito. Passarono altri dieci minuti prima che uscissero dal locale.

Fuori c'era vento, era una serata fresca. Livio l'accompagnò a casa in silenzio. Quando la vide aprire il portone, uscí dalla macchina e si appoggiò a un cartello della pubblicità. Aspettò. Non c'era nessuno per strada.

28.

Dal cortilẹ interno del palazzo viene una voce rau-
ca di gatto. È richiamo, è fame, è parto, è solitudine,
è disperazione, è follia? Si sente vicinissima.

Laura si sveglia. Da un momento all'altro è uscita
completamente dal sonno. La mente è vigile, percepi-
sce con chiarezza ogni cosa. Ha la sensazione del tempo, probabilmente indovinerebbe l'ora. La sua giornata, per quanto le sembra, potrebbe cominciare subito.
Accanto a lei c'è Livio, un rigonfiamento sotto le lenzuola. Cos'è questa strana inquietudine? Non stava sognando niente di brutto. Non stava sognando. Non si
sente male. Non ha sete. Non deve liberarsi. Però ha
freddo. Incrocia le braccia sul petto, si aggrappa alle
spalle. Vorrebbe coprirsi meglio. Una sensazione strana. Non è possibile. È nuda. Le sale ụn brivido per la
schiena. Torna a voltarsi verso Livio. È lí, è lí, steso sul
fianco, le dà le spalle. Vorrebbe svegliarlo. Lo lascia
dormire. I battiti sono aumentati, li sente pure nelle
mani. Cerca il bicchiere d'acqua sul comodino e lo trova. Beve. Va meglio. Può cercare la camicia da notte.
Tasta il letto. Non c'è. Vorrebbe provare sul lato di Livio. Darà prima un'occhiata per terra, accanto a lei. La
trova lí, infạtti. L'arrotola, cerca l'apertura della testa
e se l'infila. È fredda di mattonelle. Si distende e si co-
pre con le lenzuola. Come è successo? Quando si è spo-
gliata? Non fa mica caldo. Non hanno fatto l'amore ieri sera. Non lo fanno da un po'. E poi quando mai si è
addormentata senza rivestirsi. Ha sentito dire a qual-

cuno che ci sono momenti del sonno in cui si fanno cose illogiche. Invece è convinta che quello che le è successo abbia un senso. Il sonno la riprende poco dopo.

Si sveglia di nuovo, ma stavolta albeggia. Vorrebbe
ripensare all'incidente della notte, ma il conforto della luce glielo impedisce. Vuol bere. Nel bicchiere non
c'è piú acqua. L'ha finita di notte. Si mette a sedere
sul letto. Guarda l'orologio. Le sei meno un quarto.
Sbadiglia. Si alza. Va alla porta. Apre. Sta uscendo. Si
volta verso Livio. C'è abbastanza luce. Lo vede. Si tiene la testa con il braccio piegato sotto il cuscino. Ha
gli occhi aperti. Guarda il soffitto.

29

C'era molto silenzio in casa, il giorno della laurea. Laura e Martina andavano e venivano continuamente dalla stanza da letto alla cucina fingendo di affacciarsi al balcone, o di bere, o di avere qualcosa da prendere. Livio le guardava e non capiva se era Martina a imitare Laura o il contrario.

La discussione era fissata per le quattro, a pranzo non avevano quasi mangiato. Martina era stata tutto il tempo in ginocchio sulla sedia, parlando del vestito che le avevano comprato per l'occasione. Avrebbe voluto metterselo già la mattina. Ce n'era voluto per convincerla.

Livio stava approfittando della giornata. Era come in ferie dalla mancanza di lei. L'aveva messa in un posto dove non faceva piú male. Da quanto non la vedeva? Cinque, sei, sette giorni? Avrebbe fatto subito a saperlo, ma si era ripromesso di non contare. Si era alzato, lavato, vestito, aveva fatto colazione, messo fuori la macchina. Ci riusciva. Poteva permettersi una vita normale, quel giorno. La pianura, la povera consolazione dell'esistenza in cui tutto è stabile, la mezza felicità, quel sí però in fondo sono queste le cose che contano. Non è molto, non vale certo una vita, ma è un sistema immunitario che funziona, tutto sommato.

La casa intera aspettava il pomeriggio. Anche i mobili sembravano fare il tifo, con l'entusiasmo trattenuto di chi teme per qualcuno che ama. Al ritorno, piú tardi, anche loro avrebbero sorriso, e salutato, e fatto gli auguri. Le ante, le vetrine, gli specchi, i cassetti e gli spigoli, tutti insieme a scalpitare come bambini sfrenati.

Si erano vestiti tutti e tre, tutti piú puliti e pettinati del solito. Avevano controllato almeno tre volte il gas. Avevano avuto abbastanza tempo da ricordarsi tutti e tre il fazzoletto. Erano usciti di casa passando per ogni stanza, con quell'indugiare continuo, quel bisogno di guardare le cose un'altra volta prima di andarsene. Forse per salutarle. O per portarsele dietro, in qualche modo.

Durante il tragitto, Laura parlò di tutt'altro. Guidava lei. Ogni volta che ricominciava, la voce perdeva un po' di fiato. Martina allora cercava la mano del padre.

Livio guardava fuori del finestrino. Dorina non faceva male. Pensò a lei seduta nella doccia. L'acqua le scorreva addosso. Scottava, ma lei stava ferma. Guardava nel vetro smerigliato della cabina.

Martina gli strinse la mano. Erano arrivati.

Laura era la sesta. Uno dei relatori, però, era arrivato in ritardo, cosí la chiamarono fra i primi, poco dopo le cinque. Il professore, venuto addirittura col cappotto, le fece una presentazione che nessuno si aspettava. La commissione aveva cominciato a sonnecchiare dopo il primo candidato. Li fece svegliare tutti.

– Quello che rende terribilmente noiose queste occasioni, almeno per noi che celebriamo la messa, o almeno per me, – disse alzandosi in piedi e sconcertando colleghi e famiglie, – è che si basano su una falsità che ci raccontiamo tutti. Cioè che le centinaia di volumi all'anno di cui si parla qui dentro siano delle tesi. Quando poi sappiamo benissimo che non è cosí. Dieci volte su dieci si tratta di lavori compilativi. Pacchi di carta rilegata ai limiti della fotocopia. Intendiamoci, non c'è niente di male in questo. Ci mancherebbe che chi compila invece di sostenere non debba uscire di qui con la laurea. Se ha fatto tutti gli esami, s'intende.

Qualche cretino rise.

– Oggi si fa eccezione. Una volta tanto posso dire di essere sponsor di una tesi vera e propria. L'ha fatta lei –. E offrí il palmo della mano a Laura. Che per poco non svenne.

– Questa è una tesi, – disse indicando la copia che aveva davanti. – È un'opinione su un libro. Che poi sia una tesi di laurea, nel senso che la signorina, no mi scusi, signora, – si corresse guardando Martina e riconoscendola, – l'abbia voluta utilizzare per questo, è semplicemente capitato. Io conosco questa tesi da quando lei me ne ha parlato la prima volta. Ci ho creduto subito, e penso di averglielo dimostrato.

Laura sorrise. Livio e Martina cercarono di vederla in faccia. Impossibile. Era seduta di fronte alla commissione, di spalle al pubblico.

– Uffa, papà.

– E che vuoi, è colpa mia?

– È un lavoro interessante, appassionato, – andò a concludere il professore, – in certi punti spiritoso. Si sente una leggerezza, una curiosità che attraversa la trattazione intera. Nel dettaglio entreremo dopo. Lasciatemi dire però che ha un titolo bellissimo, anche perché l'ho scelto io: *Huckleberry Finn: un libro per soli adulti*.

– Va be', ce ne andiamo? – disse sottovoce il fotografo.

Laura si laureò. Erano le sei e quaranta quando fu proclamata dottore (con Martina per mano; Livio non era riuscito a trattenerla). Aveva finito di discutere esattamente un'ora prima. In pratica, la sua seduta, performance del professore compresa, non era durata piú di un quarto d'ora. Fossero stati cosí gli esami, avrebbe detto dopo in macchina.

Al momento dei saluti, il professore chiese se poteva darle un bacio. Martina si oppose fermamente.

Quando Laura si voltò cercando Livio fra la gente era un po' rossa in faccia, e le tremavano le labbra. Livio non si lasciò trovare subito. Era bello osservarla in quel momento, cosí timida e contenta.

Proprio allora gli venne in mente la finestrella che si vedeva dal letto di Dorina, e si domandò come sarebbe andata a finire.

Non sarò io a decidere, pensò. Fu un'intuizione semplice, che gli sembrò subito vera e affidabile. Non implicava alcuna rinuncia, e nemmeno il sospetto che dovesse toccare a lei il compito di dire basta. Era qualcosa di meno, forse. Ma di profondamente logico.

Non sarò io a decidere. Come se le cose dovessero succedere nonostante lui. E nonostante Dorina, probabilmente.

Ma fu solo un segnale, affondò da qualche parte. Laura lo raggiunse, e lo abbracciò.

30

L'idea l'aveva avuta Martina. Però avevano fatto tutto al cinquanta per cento. Livio aveva chiamato pochi amici, i piú intimi, e Martina zia Enrica. Non che zia Enrica le piacesse particolarmente, però portava Barbara. Martina aveva un'ammirazione nascosta e un po' sofferta per lei. Barbara era piú grande, faceva già le medie, aveva quegli strani capelli corti da maschietto, un odore di cose lontane, la parlantina sciolta. Quando faceva qualcosa sembrava che tutto le ubbidisse. Martina con lei si sentiva piccola e goffa. Ma per nessuna ragione avrebbe mai rinunciato a un pomeriggio con Barbara.

Avevano comprato la torta di nascosto, lei e Livio, al ritorno da scuola. Poi avevano chiesto alla signora Stella, che abitava a fianco, se potevano lasciargliela fino a sera. Lo spumante non era un problema, giusto un paio di bottiglie. Si potevano nascondere da qualche parte e poi metterle in frigo poco prima di uscire, stando attenti che Laura non se ne accorgesse. Dovevano solo ricordarsi di lasciare una copia delle chiavi di casa nella buca delle lettere.

Laura fece un ovale con la bocca quando trovò gli amici nel soggiorno. – Ma come, non ho nemmeno niente da offrirvi, – disse. Non fece in tempo a prendersela con Livio che Martina era già uscita e rientrata con la torta.

– L'avevate lasciata alla signora Stella, vero? – disse allora voltandosi verso Livio.

– E certo. Che volevi, che mandassi un momento Martina a comprarla?

Laura sorrise e gli accarezzò una guancia. Poi diede un bacio a Martina.

– E in frigo c'è lo spumante, – disse Martina con la voce della festa.

Poi accese l'albero di Natale.

Federico e Ines si erano messi Laura in mezzo. Livio stava seduto sul bracciolo del divano, con il cestello dello spumante sulle ginocchia, e li ascoltava in silenzio.

Ines: – Ci pensi che domani mattina quando ti sveglierai sarà tutto diverso?

Federico: – Ma per piacere. Ti pare che alla sua età si fa ancora prendere da queste cose?

– Eccolo là, ti pareva. Basta che puoi rovinare un entusiasmo, tu.

– Che vuoi da me, io queste cose proprio non le sento.

– Certe volte mi chiedo come ho fatto, – disse Ines guardando da un'altra parte. E diede un sorso allo spumante.

– Hai ragione, Ines, – intervenne allora Laura, – anche se adesso che è finita non è quel paradiso che m'immaginavo. È come... ecco, come se mi fossi tolta un altro esame.

Livio fece scorrere il braccio lungo lo schienale del divano e le accarezzò la testa. Laura gli rispose sorridendo, senza voltarsi. In quel momento Martina corse in soggiorno.

– Papà, a telefono.

– Cosa? – domandò Livio, ancora curvo sulla spalliera.

– A telefono! – ripeté Martina impaziente. Barbara l'aspettava di là.

– Chi è? – disse Livio passando il cestello a Federico.

– E non lo so, vuoi andare sí o no? – rispose lei tutta seccata, e scappò nel corridoio.

Allora Livio si alzò. Gli tremavano un po' le gambe.
Meno male che il telefono era nell'ingresso. Accostò il
ricevitore all'orecchio e aspettò qualche secondo prima di dire pronto.

– Livio. Livio, sono io.

Lui non disse una parola. Guardò il quadro sulla parete e pensò al corniciaio che preparava i quattro pezzi da inchiodare fra di loro.

31

Quando Livio e Dorina si svegliarono erano ancora mezzi abbracciati. Dorina si alzò, andò in cucina e tornò con dei cracker e un bicchiere di vino bianco. Livio approfittò della sua breve assenza per guardarsi il magone che aveva dentro. Era stato bello, però qualcosa era mancato. Poco. Pochissimo. Una cosa delle dimensioni di un ciglio.

Quando aveva suonato al citofono, Dorina aveva aperto senza neanche rispondere. Poi gli era andata incontro per le scale. Avevano fatto l'amore subito, e un'altra volta subito dopo. «Non preoccuparti, non preoccuparti di me», gli aveva detto tutt'e due le volte, poco prima che venisse. E la seconda aveva allargato completamente le braccia mentre lui la sollevava da sotto la schiena, tenendosi con le mani ai lembi del lenzuolo per non avvinghiarlo alle spalle come faceva sempre. Gli aveva dato tutto quello che aveva. Adesso Livio era di nuovo in casa sua, sdraiato nel suo letto. Con tutti e due i cuscini sotto la testa e quel taglietto da niente nel cuore. Intorno aveva l'abbondanza, ma da qualche parte c'era uno spazio vuoto, un quadratino dove la felicità non arrivava.

«Che bello, – pensava. – La vita ricomincia».

Dorina si era messa in ginocchio sul letto e gli passava i cracker a pezzetti. Livio faceva segno di no, e le accarezzava la mano quando si avvicinava. La trattava con la tenerezza di sempre, quella la sentiva ancora. Ma l'intruso dentro non se ne andava. I gesti di Dorina non gli trasmettevano altro che della insignificante gentilezza. Chissà che pensa, si chiedeva Livio. Magari neanche lei è felice. Magari sta facendo finta. Potesse, lascerebbe cadere i cracker e si metterebbe giú, cercherebbe di addormentarsi per dimenticare questa cosa da niente che la preoccupa. E penserebbe di potersi svegliare serena, di ritrovare i suoi sentimenti intatti e dire che scema, per cosí poco, è stato un momento, sono cose che capitano. Invece eccola qui, mastica senza voglia, fa di tutto per darmi confidenza, non le costa mica niente, figurarsi se non mi vuole bene, e anch'io sto arrancando, le tengo la mano e la mia mano l'ha stancata, comincia anche a sudare, fa molto caldo oggi, vorrebbe tirarla via ma aspetta che sia io a decidermi.

Dorina si piegò in avanti e poi si lasciò cadere di lato su di lui. Livio aprí un braccio e la strinse a sé.

Aveva l'odore dei cracker.

Dorina lo svegliò che erano quasi le sette. Lentamente Livio si rivestí. Adesso sentiva che c'era qualcosa di diverso nell'andarsene.

– Domani sei al negozio? – domandò lei.

– No, ci va Laura, io devo finire la dichiarazione dei redditi, perché?

– Cosí. Magari ti potevo telefonare.

– Ah, certo, come no, – rispose lui. Ma in quel momento l'idea che lo chiamasse non gli faceva nessun piacere.

Tornando a casa si fermò sul ponte poco distante dalla via di Dorina. Si appoggiò alla ringhiera e abbassò la testa. Le persone che passavano lo guardavano perplesse. Non c'era niente di bello da vedere. Il fiume sotto di lui non sembrava fatto nemmeno d'acqua. Era piú una schiuma, un miscuglio di detersivi e scarti di ogni tipo, con delle grosse bolle che resistevano all'aria per un sacco di tempo. Le sponde come i marciapiedi. Qua e là dell'erba e dei rifiuti vecchi.

Livio immaginò di parlare con l'amico piú equili-
brato che gli venne in mente. Se lo vedeva già vicino
che cercava di farlo sentire in colpa con le buone. «Non
puoi continuare cosí, devi scegliere. Lo so che è difficile ma non c'è un altro modo, fatti coraggio e decidi.
E a parte tutto è giusto che Laura lo sappia, pensa se
fossi tu al posto suo».

Sí, gli avrebbe detto cosí. Questo gli avrebbe detto.
Era cosí logico. Ma allora come mai dall'altra parte sentiva una voce che diceva non dare retta, sono tutte caz-
zate. E perché gli sembrava che avesse ragione lei.

Pensò alla sua vita il giorno dopo. Dorina lo voleva
ancora. Di nuovo aveva il diritto di vederla, di chia-
marla, di domandarle dov'era stata. Non doveva spie-
garle niente, le andava bene cosí. Forse un giorno
avrebbe anche capito perché si comportava in quel modo, ma adesso quasi non gli interessava. Si vedeva davanti i giorni dispari, e un sabato mattina ogni tanto.
Il telefono. L'orologio che alle sette di sera gli ricordava di tornare a casa. Si vedeva già in pigiama quando piú tardi, sollevando le coperte, infilandosi a letto
avrebbe pensato speriamo che Laura non ha voglia. Era
cosí che stavano le cose. E cosí, esattamente cosí sarebbero andate avanti. Rinunciare a Laura? L'amava.
Non aveva nessun motivo per pensare il contrario.
Quel poco che gli era riuscito nella vita, praticamente
lo doveva a lei. Piuttosto che farle del male, si sarebbe
buttato di sotto in quello stesso momento, in quello
schifo di fiume. Lasciare Dorina? Solo il pensiero gli
toglieva l'aria. E per ottenere che cosa, anche ammes-
so che ne fosse stato capace? Il vuoto, l'angoscia, la pri-
vazione peggiore che avesse mai conosciuto. Vaffanculo voi e il vostro buonsenso, si disse. Vaffanculo il
coraggio, la sincerità e la buona fede.

Ma nel momento stesso in cui ebbe quello sbotto di
rabbia vide davanti a sé una schiarita. E provò un sollievo inaspettato, l'impressione che le cose si fossero
risolte mentre lui stava guardando da un'altra parte.
Senza nessuno sforzo, come fosse stata la piú ovvia del-

le verità, Livio si accorse che non c'era nessuna deci-
sione da prendere. Vide Laura, Martina, il figlio che
stava per arrivare, e dall'altra parte Dorina che aspettava in silenzio il suo turno, e alle sette lo restituiva alla sua vita.

– E buttati, coglione! – gridò qualcuno da una macchina che passava. Livio si voltò e istintivamente allargò un braccio come avesse voluto gettare via qualcosa. Allora vide che i fanalini posteriori della macchina si illuminavano. Mise le mani in tasca, girò le
spalle e si allontanò.

La mattina dopo Livio era in cucina, in canottiera e pantaloni del pigiama. Quando restava solo in casa gli piaceva prendersela comoda. Il caffè, già il terzo, era quasi pronto.

Aveva parlato da poco al telefono con Monticelli, vecchio amico ragioniere, che gli aveva chiarito dei dubbi sulla compilazione del 740. Adesso, forse, sarebbe arrivato alla fine senza altri problemi. Prese la tazzina, anche il piattino, e andò alla scrivania. Non si era ancora seduto quando suonarono alla porta. Mentre andava ad aprire si voltò a guardare il fumo del caffè che si sprecava nell'aria. «See, buonanotte», pensò.

Si trovò davanti un ragazzino, non piú di quindici anni, jeans, polo bianca e uno zainetto in spalla. Pensò che avesse sbagliato porta.

– È lei Livio Manduca? – domandò il ragazzo.

– Sí, sono io. Ma che...

– Pony express –. E gli mise in mano un pacchetto di cartone grande la metà di un quaderno.

Livio rimase interdetto. Avrebbe voluto lasciare qualcosa al ragazzo, ma quello era già sparito per le scale.

Rientrò e chiuse la porta. Il pacco era stretto con il nastro adesivo per gli imballaggi. Provò ad aprirlo con le unghie, ma non ci riuscí. Allora andò in cucina e prese le forbici che Laura usava per la carne. Fece un taglio profondo nel punto in cui si incontravano le due estremità dello scotch. Sollevò uno dei lembi e tirò. Il

pacchetto si aprí subito. Prese quello che c'era dentro
e lasciò tutto sul tavolo.

Si fermò un momento a guardare.

Poi mise le forbici a posto.

Chissà perché, gli venne da sorridere.

C'era il suo spazzolino, e il dentifricio.

Ringrazio Giuseppe Pontiggia, per la sua fiducia e la sua presenza. E Giulio Mozzi, Gianfranco Marziano, Camilla Baresani.

Stampato per conto della Casa editrice Einaudi
presso ELCOGRAF S.p.A. - Stabilimento di Cles (Tn)

C.L. 22120

Edizione				Anno	
18	19	20		2018	2019